SAVE THE CAT!®

Beat Sheet Workbook:
How Writers Turn Ideas into Stories

Jamie Nash Based on the books by Blake Snyder

JN067715

「SAVE THE CATの法則」で書ける物語創作ワークブック

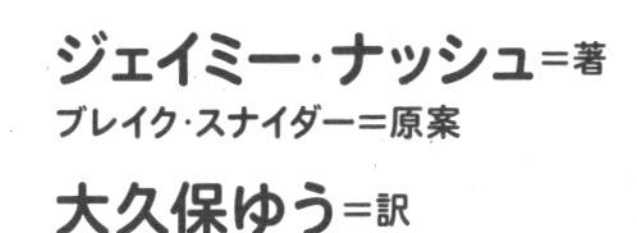

ジェイミー・ナッシュ＝著
ブレイク・スナイダー＝原案
大久保ゆう＝訳

フィルムアート社

SAVE THE CAT! Beat Sheet Workbook
by Jamie Nash
Based on the books by Blake Snyder

Copyright © 2022 Blake Snyder Enterprises, LLC
All rights reserved.
Japanese translation rights arranged with DYSTEL, GODERICH & BOURRET LLC
through Japan UNI Agency, Inc., Tokyo

映画の脚本やTVのパイロット版を１本書き上げたことがあるけれども、
次回作ではもうちょっと掘り下げたい人

本書はあなたのためのもの。

すごいアイデアはあるのに、どうしていいかわからない人

本書はあなたのためのもの。

物語を作りたいけれども、何から手を着けたらいいのかわからない人

本書はそんなあなたのためのもの！

経験もそれなりにあるプロだけれども、新機軸に挑みたい人

本書はそんなあなたのためのもの！

書くのが大好きで、やっぱり楽しみたい人！

本書はまさしくあなたのためのもの！

初めて作品を書く人、現役の作家、またはその途上にある人
——とにかくどの人にも、アイデア練りからストーリーのアウトライン作りまで、
ひとつひとつステップごとに教えるのが本書なのです。

この本について

講師をしたり、ワークショップを開いたり、作家と話をすると……いつも質問される。いったい何から始めればいいの？　作品が盛り上がるお楽しみの部分でつまったらどうすればいい？　ちゃんとテーマの提示をやりきるコツって何？　じゅうぶん練られた変化（＝成長）するキャラクターを思いつくには？
手始めにはあの画期的な指南書『SAVE THE CATの法則』シリーズを読むのがおすすめ！　なんだけれども、そうは言っても、実際の執筆はむずかしい——いろいろ疑問が出てくるし、むずかしい判断も迫られるし、気づけば作家はひとり孤独に助けを求める始末。そんなときに必要なのは、その答えへたどりつくためのヒントいっぱいの実用的なロードマップだ。
このワークブックはまさしくそれだ。あなたの秘密兵器で、ストーリーの決定打。これからのページをたどっていけば、あなたはアイデア練りから始まって、シーンのアウトラインを作りきるところまで行けるはず。ある意味では練習帳、あるいはストーリーの続きを促してくれる裏方さん、もしかすると師匠になるかもしれない。楽しく遊べるワークブックなのだ。全項目を埋め終わったあと、ぐるぐる悩んで、１冊全部もうぐちゃぐちゃに書いたとしても……最後にはわかる。あ、最高のストーリーが出てくるぞって。

＊「SAVE THE CAT」とは？
『SAVE THE CATの法則』の著者、ブレイク・スナイダーが命名したストーリー設計テクニック。たとえば、主人公を不良に設定した上で、それなのに序盤で車に轢かれそうな猫を危機一髪救い出させたりすると、ギャップで主人公は好感度が上がって、むしろ「ヒーロー」に見えてくる。「猫を救え」はあくまで代表例だが、共感・応援できる主人公を生み出すストーリー上の仕掛けのことをこう言う。

CONTENTS

カバー・本文イラスト　Alex Riegert-Waters

- 本文中の（　）は著者による補足、［　］は訳者・編集部による補足を表します。
  また、＊で示した注は、訳者による注記を意味します。
- 日本未公開の映画、日本では未訳の書籍は、原題で表記しています。
- 本書は『SAVE THE CATの法則　本当に売れる脚本術』（ブレイク・スナイダー著、日本語版小社刊）をベースに考案されたワークブックであり、同書で使われている用語は基本的に同じ訳語にそろえて訳出していますが、一部の訳語を見直し、改めている用語もあります。

ストーリーテリングの手順

このワークブックがあれば、こんな疑問にもうまく取り組める。

- **自分は何者？**　すぐれた物語は、自分自身のことを語るものだから――作家としての自分のあり方、自分の知識、自分の大好きなもの、そこを深く掘り下げることになる。本書のワークが一種の燃料となって、走っているあなたとそのストーリーはどんどん前へと進んでゆけるはず。

- **自分の作る物語とは？**　本書ではストーリーのアイデアを出して練り上げて、複数の案から取り組むものをひとつ選ぶことになる。

- **プロット［筋書き］はどうなる？**　登場人物はどんな人たち？　本書では自分の扱う主人公と悪役を理解した上で、これからの旅の計画を立てることになる。

- **ビートって何？**　本書ではこれから自分なりの細かな『SAVE THE CATの法則』式ビート・シートを作っていく。［「ビート」とはこの『SAVE THE CATの法則』シリーズの用語で「キャラクターあるいはストーリーの流れを変える、物語中のあるひとつのイベント」のこと］

よし！　さあ腕まくりして、ちょっと執筆をしてみようじゃないか！

第1章

あなたのストーリーを解錠(アンロック)せよ

UNLOCK YOUR STORY

好きなものでコラージュを!

自分の創作意欲を盛り上げてくれるもので、このページを飾ってみよう。映画、本、TV番組、好きな場所、いちばん元気をくれる相手、アート、お気に入りの曲などなど。落書き、名言、走り書き。本書を開くときにはいつもこのページに目を通そう……そのたびごとに、何かひとつ創作欲をかき立てるものを付け足してから始めよう。

BUCKET LIST
favorite
BOOK

極秘機密事項

わが身の安全を思うなら、引き返せ。

このメッセージは破棄せよ！

最高のストーリーは、その作者について何かを教えてくれる。作者の視点、好み、恐怖、希望までもがわかる。
あなたはガードを下ろさないといけない。
自分に課せられた縛りを外す必要がある！
それから何もかもをビリビリに引き裂くのだ。
ここからの数ページは、あとあと破り捨てることを覚悟で記入していこう。
自分に迫る。さらけ出す。秘密の日記みたいなものだ。そのあと全部をちぎって、粉々の紙片を宙に放り投げて紙吹雪みたいにする。
きっと書いたことは覚えている。全部自分だから。でも、まず紙の上に吐き出すことが重要なのだ。自分の魂を丸裸にする。自分にとって大切なものを見極めるんだ。
ルール＃１＝恥ずかしさのほうがどうしても上回ってしまうなら、まだ何かがダメってこと——

自分の胸が((ドキドキ))することって何？

自分が本当に**大好き**なものは何か？　待ち遠しくてつい寝起きがよくなってしまうものとは？　何よりも心おどるものは何だろうか？　旅行？　人？　ペット？　場所？　箇条(かじょう)書きのリストにしてみよう。できるだけたくさん。ページみっちり。ぐちゃぐちゃにしていい。

と、うなってしまうもの

あなたの趣味は？　興味関心は？　知れば知るほど楽しいものは？　卓球で優勝したことある？　ガレージで核融合炉を作る？　クロスワードパズルは好き？　具体的に。このページは白紙にしないで！

一気にキレてしまうのは

あなたがカッとなるものは？　イライラさせるものは？　**ぎゃあああああああ**と思わず叫んでしまうものは？　そのことを絶叫しよう！　必要なら書体を変えて工夫してもOK。

自分の恐怖を素直に

あなたが夜も眠れなくなるものは何？　思い浮かべるだけでも嫌なものは？　詳しく教えてください。怖いのは承知の上。でも押し切るべし。どうせすぐにこのページは破り捨てるのだから。

野球ぐらいで泣くこたあない

自分で自分を泣かせられるか？　思い浮かべるだけで感情を揺さぶられるようなことを書き出してみよう。悲しい思い出、感動的な映画、すごく親切な行為。このページに涙を１粒こぼして、できたという証拠を残そう！

最高の物語とは、感情の必殺ボディブロー。
ここまでのページで書きながら抱いたあなたの感情こそが、これから揺さぶろうとする視聴者や読者の心なのだ。
この章を読み返してみよう。どっぷり浸かって、感じること。
よし、時間だ。ここまでのページを切り取って、ビリビリにしよう!
でも、今の言葉と感情は自分のなかにたくわえておこう。
執筆のときに、その感情を呼び起こしてみるといい。
自分についてのストーリーを書くんだ。

位置について、よぉーい……ビリッ!

第2章

ストーリーのアイデア

STORY IDEAS

すごいアイデアがもうあるのに！

うん、それならよかった！　ゲームをリードしているってことだ。あとはこのページに書くだけ。ただ、ちょっと一言。ひとつ止まりでいいの？　ここからのページにある練習問題に、ぜひ取り組んでみてほしい。まず何よりも、この練習問題は楽しいし、それだけでなく新しいアイデアもたくさん出てくるはず。そのあとでも、最初のアイデアがいちばんいいのであれば、本当の本当に最高だった、ということだ！　そうすればもう迷わなくていい。検証済みなのだから！

思いついたそのアイデアは、下の空欄にざっくり書き残しておこう。

どうしよう！　すごいアイデアがありすぎる！

すばらしい！　ぜひ聞かせてほしい。そのアイデアに小粋なタイトルをつけて、下のリストに書き入れてみよう。何か新しいアイデアが浮かんだときにも、このページを開いて、そのアイデアを書き留めてほしい。

思いついたそのアイデアは、下の空欄にざっくり書き残しておこう。

タイトル	アイデアの内容

いい物語のアイデアばかりだ……出発点としては。
これから一気に掘り下げて、さらに**斬新なアイデア**まで見つけてみよう！

落書きのお時間

このページ全体を思いつきの落書きでいっぱいにしてみよう。すみずみまで。まずは信じてほしい、すぐにわかるから。

落書きから伝わってくるものとは？

左の落書きをもとにして、さっと５つストーリーのアイデアを書き出してみよう――

	落書きにもとづいたストーリーの内容
1	
2	
3	
4	
5	
6	

こいつは
とんでもない
アイデアだ……
（気に入った！）

あなたのとんでもないアイデア一覧

1. このページを切り取る。
2. ポケット／財布／靴下の中に入れて持ち歩く。期限は表裏がアイデアでいっぱいになるまで。寝食をともにする。とにかく埋める。
3. アイデアはいいものでなくてもいい（とんでもないものでもなくていい）――質より量だ！
4. 表裏がいっぱいになったら、このページを本に留め直す（テープ／のり／ホチキス／ペーパークリップで）。

22

もっとずっととんでもないストーリーのアイデアを!!!

(書き終わったら、テープやクリップでこのページを本に付け直そう)

写真／絵をここに

このスペースに写真／絵を貼り付けよう。何でもOK。スマホ内にある面白いもの、ネットで見つけたもの、雑誌にあったもの、などなど。

もしこの写真／絵が、あなたのストーリーをもとにした映画内の1コマだったなら、と考えて、新しく物語を思い描いてみよう。

大爆笑のコメディなら	
SFものなら	
お涙頂戴なら	
恐怖の宴なら	
考えさせる話なら	
異能力スリラーなら	

見出しから切り取ったものを

新聞・雑誌やニュースサイトの記事の見出しを、下のところに貼ったり、書き写したりしてみよう。

この見出しが次の作品の第１文目だと考えると……？	ストーリーの内容
10代向けコメディ	
サスペンス／ミステリ	
スポーツもの	
アクションスリラー	
家族で見られる名画	
パラノーマル・ロマンス	

お気に入りにひとひねりを

それぞれの空欄に、あなたのお気に入りの既存作品（映画・本・TV・マンガ）のなかで、自分でリブート作品や続編を書ければいいなと思っているタイトルを、ひとつずつリストアップしてほしい。

思わず格闘モーションをしたくなったあの作品	
おなかを抱えて大笑いしたあの作品	
明かりをつけたまま寝るしかなかったあの作品	
童心に帰ったあの作品	
号泣したあの作品	
いろんなことを教えてくれたあの作品	
魔法世界や異世界を夢見させてくれたあの作品	
終わらなければいいのにと思ったあの作品	

書き終わったら、点線に沿って切り抜いた上で、28ページにノリやテープで貼り付けよう。

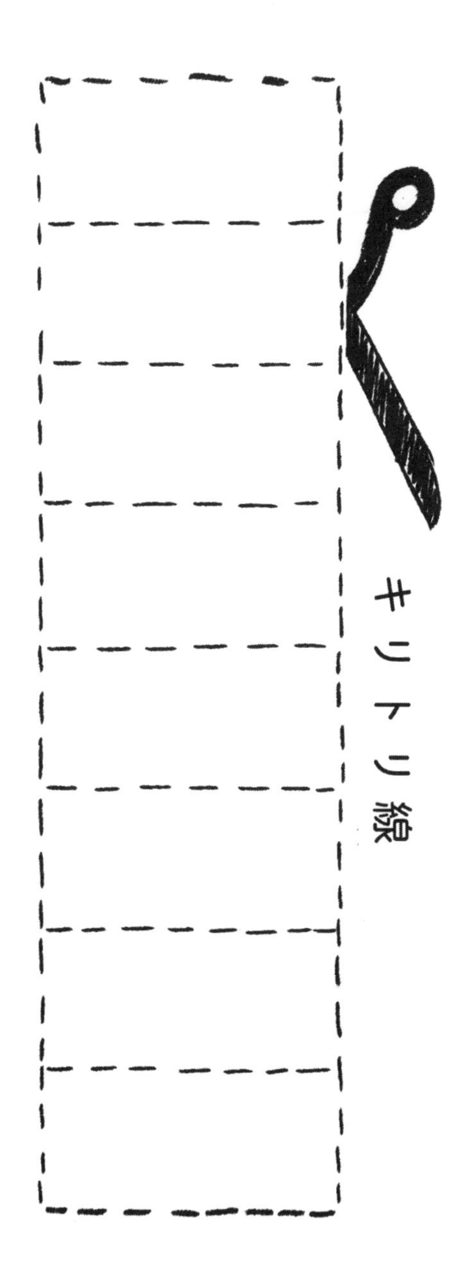
キリトリ線

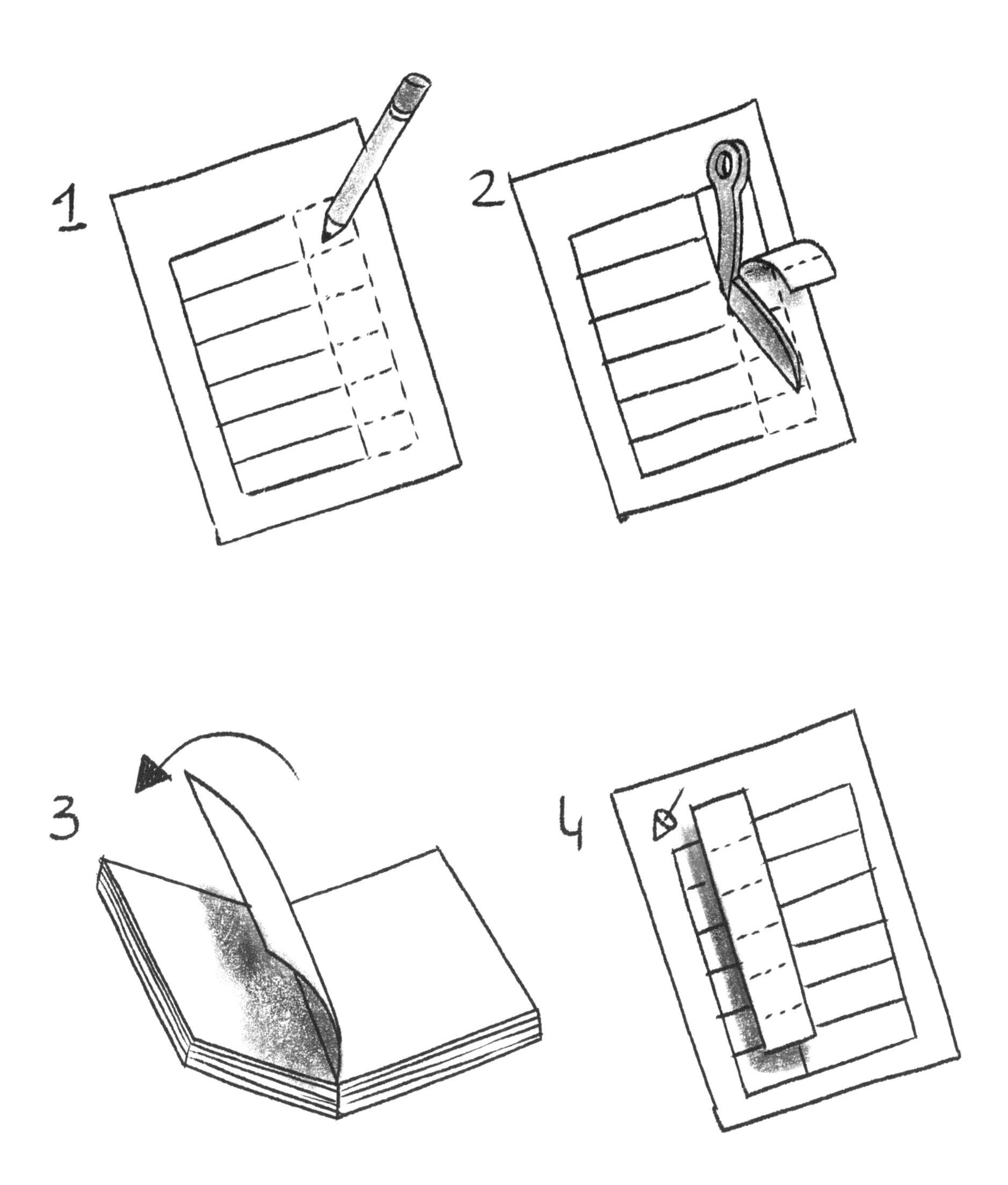
1
2
3
4

再生大改造ストーリー！

25ページの作品リストをこの下の各欄に貼り付けよう。	
	ただし主人公の性別を変更すると
	ホラー映画として作り直すと
	コメディにしてみると
	その10年後を考えてみると
	まったく別の変わった場所になると
	その未来版をやってみると
	ところが現代世界でやってみると
	非公式の続編を作ってみると

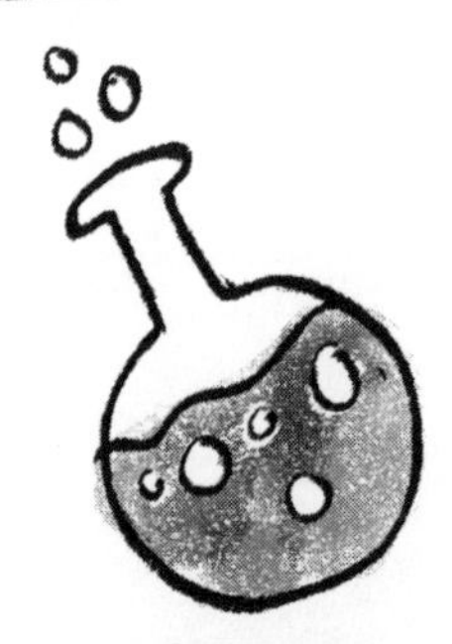

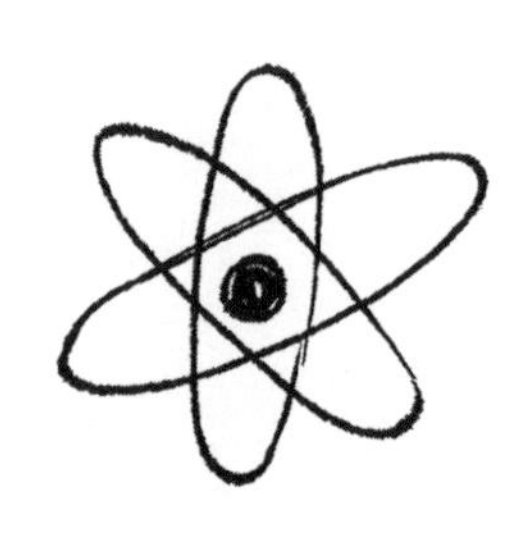

新作ストーリーの内容を書いていこう。

もっと！　再生大改造ストーリー

2回以上読んだり見たりした物語のリストを作ろう。	タイトルをいじったり数語加えたりして別物にしてみよう。まずは2つ例を挙げてみる。
七人の侍	七万人の侍
アメリカン・グラフィティ	アメリカン・グラビティ

新作ストーリーの内容を書いていこう。

歌え、高らかに！

お気に入りの歌の**タイトル**や**歌詞**をリストにしてみよう。

その歌や歌詞を作品のタイトルに流用した上で、それぞれのストーリーの内容を考えてみよう。

そろそろ友人に電話をする時間

よし、そろそろ親友をひとりこっちに引きずり込む時間だ。友人をつかまえて、こちらが見たことないと思う映画について、**テキトーな似非**(えせ)ポスターを描いてもらうこと。所要時間は4分。

1. どんな映画かは秘密にしてもらう。
2. タイトルやクレジット欄、あらすじも**書かない**ようにしてもらう。その部分は、ポスターを描いてもらってから、こちらでやること。(つまり埋めるのは自分!)

タイトルはここに書くこと。
ポスターはここに描くこと。
出演: 監督:

映画のシノプシス

友人が制作したポスターにもとづいて、その映画のあらすじを、映画データベース風（allcinemaなど）の文体で書いてみよう。

自分は思っている以上に物知り

うんとは言いづらいかもしれないけれども、あなたは専門家だ。それこそいろんなことの！　大真面目な話。誰にでも他人よりも詳しいトピックや人生経験があると思う（働いてきた仕事、勉強してきた内容、住んでいた場所、自分だけの経験）。そのなかから、これはと思うものを7つリストに書き出してみよう。「高校体育教師」「パリ在住経験」「三つ子出産」などなど、なんでもOKだ。

各専門分野ごとに6面サイコロを振って、出た目に応じて次ページの表から物語の執筆ジャンルを選ぼう。自分にわかる分野と、ランダムに選ばれた思いつきを組み合わせた上で、物語のアイデアを練ってみよう。

専門分野	次ページの表の出目をもとに、基本設定をアイデアとして練り上げてみよう。

出た目	執筆ジャンル
1	緊迫感のあるスリラーとして
2	青春成長ものとして
3	SFものか現代ファンタジーものとして
4	ラブストーリーまたはバディものとして
5	スパイものとして
6	場違いもののコメディとして

最終アイデア一覧の総仕上げ

お見事！　あふれるくらいアイデアを思いつけた。さて、ここまでのページをめくりながら振り返って、自分のお気に入りのアイデアを全部チェックしよう。それから下に書き写すんだ。

アイデア

あなたが決める上位4つ

1. ここまでのページの各リストから、アイデアの上位4つを選ぶとしたらどれだろう？
2. 自分が見てみたい、読んでみたいと思えるものを選ぼう。
3. いちばん自己に肉薄（にくはく）しているものを選択しよう。
4. 同点になった場合は……いちばんはっきりと思い描けるものを。
5. 各アイデアに仮のタイトルをつけよう。

あなたの決めた**上位4つのアイデア**のタイトルを記していこう。

仮タイトル	アイデア

勝ち残れるのは1つだけ

あなたの**上位4つ**が決定。ここからはトーナメント表を埋めて、さあバトルだ！
対決させて、いいほうを選ぶ。広い世に出してその姿をぜひ見てみたいストーリーを決めるのだ。自分の見た年間1位映画になりえるものを！
友人に声をかけてもいい。自分のアイデアを説明して、みんなに選んでもらう。意見を聞く。
ただし最終的には、自分が世界一のファンになれそうなものを選ぼう。

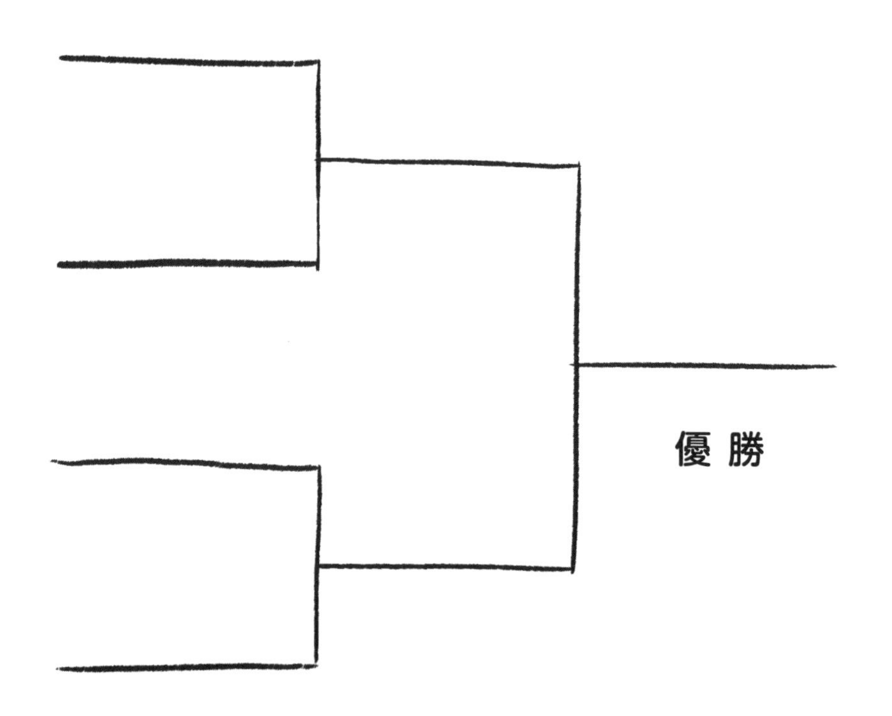

タイトル案をたくさん出す

そうとも！　自分のストーリーは本人がよくご存じ！　そこで、この仮タイトルをもっといいものにできるよう、たくさん案を出していこう。まずは、ひどいタイトルから！　このページには、思いつく限りのひどい自作タイトルを書き立てていっぱいにすること。**さあ、よーい、ドン！**

世界観からタイトルを

自作の世界観に関連するタイトルを、めいっぱい書いていこう。専門用語や人々・場所など、ストーリーの舞台となる世界に特有のものを盛り込むんだ。ボクシングの話を書くのなら、『ガードを崩すな』『サンドバッグ』『KO』といったタイトルもいい。出張シェフの世界なら、『献立にわたしを』『ファイブ・スター』『恋のレシピ』なんてのもあり。さあ……**はじめ！**

登場人物とテーマからもタイトルを

自作の主人公に関連するテーマ、または主人公を表現するようなネーミングを、できるだけたくさん考えてみよう。たとえば、あのロッキーなら、「負け犬」「大穴」「闘士」「イタリアの種馬」という二つ名がありえる。テーマなら「あきらめない」「不屈」「逆転勝利」もいいだろう。
開始だ、ページいっぱいに、いい案だけを！　**はじめ！**

自作にぴったりのタイトルで

自分の作ったリストを振り返ろう。ぱっと目を惹いたものを選ぶこと。

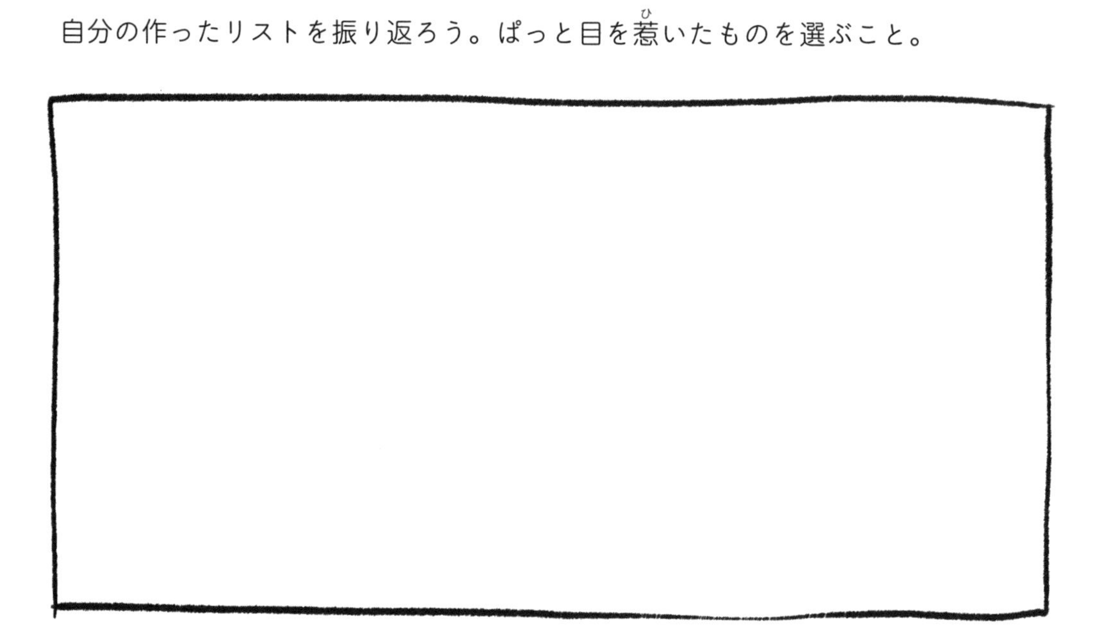

タイトルで考慮すべきポイントとしては……

1. わかりやすく
2. ストーリーの種類（怖いもの、笑えるもの、わくわくするもの）や作品の雰囲気がそれとなく感じられるように
3. ストーリーの中身が何となく察せるように
4. ダブルミーニングのかけ言葉にしたいのなら——まず表向きのプロットと、深いところにある作品テーマのどちらにも関連しているか——少なくとも何かしらの皮肉を込めるように

なかなか決めがたい場合は、自作とタイトルの組み合わせを友人何人かに持ち込んでみて、みんながどれを選ぶか確かめてもいいだろう。

第3章

プロットとキャラクターの話をしよう

LET'S TALK PLOT AND CHARACTERS

ヒーローについてのただし書き

ここからのページでは〈ヒーロー〉という用語が多用される。ヒーローとはつまり物語の中心人物、主人公のことで、読者と相乗りする人物、読者が応援する人物ということになる。ヒーローの自覚がある主人公もいるけれども、必ずしも〈いい人〉でなくていい。実際のところ、卑劣なやつや悪党、ましてや嫌われ者だったりするかもしれない。猫を救ったことしかいいところがない場合だってある。だからヒーローという言葉が出ても……あくまで主人公、その作品の主役、映画でいちばん脚光を浴びる人物にすぎない点に留意してほしい。

では……準備はいいか？　**行くぜ！**

時間を決めてストーリー作り

ひとつ物語を選んだ上で、タイマーを10分にセット。ほら実際に。やってみよう。
10分。9分でも15分でもなくて……10分！
〈今回のミッション〉この見開き２ページの質問４つに制限時間内で答えること。
タイマーで10分。
準備は？　よーい、スタート！

1．その物語のヒーローはどんな人物？　ストーリー開始前のその日常生活を描写してみよう。ほんの数行でＯＫ。手早く執筆を。タイマーはどんどん進んでいる。

2．その日常生活がひっくり返って物語がいきなり始まってしまうような、最初に起こる突然かつ予想外の出来事とは何か？

3．ストーリー内でヒーローが目指している大きな目標とは何か？　何かでの優勝？　謎の解決？　生き残り？　詳しく記述してみよう。

4．目標達成を阻む大きな障害物や悪役はどんな存在か？　制限時間はあと少し！　さあ書くんだ！

どんなストーリーをこれから物語るのか

よし、もうあなたの手元には、ざっくりとした物語のイメージがある。では、ここからはそれが『SAVE THE CATの法則』で示された10のストーリー類型のうち、どれに当てはまるのかをいくつかの問いに答えながら見極めてみよう。

	はい	いいえ
ストーリー・クエスチョン#1 物語の軸が、何か**ごほうび・戦利品**（たとえばお宝、大金入りの金庫、優勝、当選など）を得ようとするヒーローにあるか？ 『オーシャンズ11』の大金、『メジャーリーグ』の優勝、『グーニーズ』の財宝などがこのごほうび・戦利品にあたる。	ストーリー・クエスチョン#2へ	ストーリー・クエスチョン#3へ
ストーリー・クエスチョン#2 ヒーローの主な目標は、何かの**ゴールライン**や**目的地**に到達することか？ 火星、ワリーワールド*1、ホワイトキャッスル*2、滅びの山［『ロード・オブ・ザ・リング』］がいわゆる目的地にあたる。	**〈金の羊毛〉**（64ページ）へ	ストーリー・クエスチョン#3へ
ストーリー・クエスチョン#3 物語の軸が、**モンスターを倒そう**とする、または敵をやっつけようとする、あるいは**復讐を果たそう**とするヒーローにあるか？ 『キル・ビル』『ジョン・ウィック』『ドラゴンスレイヤー』などの映画がわかりやすい例。	**〈金の羊毛〉**（64ページ）へ	ストーリー・クエスチョン#4へ

*1『ホリデーロード4000キロ』などに登場する架空のテーマパーク
*2『Harold & Kumar Go To White Castle』に登場する実在のハンバーガー・チェーン

	はい	いいえ
ストーリー・クエスチョン#4 そのヒーローは、**謎解き、事件の解明、犯罪の解決**をしようとしているか？ たとえばジェイク・ギテス［『チャイナタウン』］、サム・スペード［『マルタの鷹』］、ヴェロニカ・マーズ、『ファーゴ』のマージといった私立探偵や刑事のキャラクター。	**〈なぜやったのか？〉**（76ページ）へ	ストーリー・クエスチョン#5へ
ストーリー・クエスチョン#5 物語のメインに、登場人物２名のあいだの**複雑な関係性**（ラブストーリー、友情、同僚、母・娘、飼い主とペット）があるか？ たとえば『恋人たちの予感』『プリティ・ウーマン』『バッドボーイズ』『E.T.』『ワイルド・ブラック／少年の黒い馬』における関係性など。	**〈バディとの心のつながり〉**（58ページ）へ	ストーリー・クエスチョン#6へ
ストーリー・クエスチョン#6 そのヒーローは、自分以外は**普通の世界**で、（魔法や最新技術などの）**普通ではない特殊能力**を操っているか？ X-MEN、スーパーマン、マイティ・ソーの有する超人的な力や、たとえばバットマン、アイアンマンなどのテクノロジーの力。	ストーリー・クエスチョン#8へ	ストーリー・クエスチョン#7へ

	はい	いいえ
ストーリー・クエスチョン#7 そのヒーローは、よくある普通の世界に住みながら、大仕事をなさねばならない**普通ではない人物**（逃れられない使命にとらわれた／邁進する人物、並々ならぬ信念を持つ人物）か？ キャラクター例としては、ガンジーやブレイブハートなど実在人物も含む。	**〈スーパーヒーロー〉**（74ページ）へ	ストーリー・クエスチョン#12へ
ストーリー・クエスチョン#8 そのヒーローの力は、**不思議な存在**／**道具**／**きっかけ**から授かったものか？ 例：『ブルース・オールマイティ』『ハート・オブ・ウーマン』『もしも昨日が選べたら』での超能力・特殊能力のように。	ストーリー・クエスチョン#9へ	ストーリー・クエスチョン#10へ
ストーリー・クエスチョン#9 そのヒーローは、最後に**〈特殊能力なしでもやっていける〉**ことを学んで、最初よりもマシな人間として元の生活に戻っていくか？	**〈魔法のランプ〉**（72ページ）へ	ストーリー・クエスチョン#10へ
ストーリー・クエスチョン#10 そのヒーローは、**同格**または**それ以上の力を有する強敵**と対決しているか？ 例：サノス［『アベンジャーズ』シリーズなど］、ゾッド将軍［『スーパーマン』シリーズ］、グリーンゴブリン［『スパイダーマン』シリーズ］、そのほかレックス・ルーサー［『スーパーマン』シリーズ］といった天才科学者も含む——もっと現実寄りのストーリーでは、世界の指導者や因縁のライバルも。	**〈スーパーヒーロー〉**（74ページ）へ	ストーリー・クエスチョン#11へ

	はい	いいえ
ストーリー・クエスチョン#11 そのヒーローは、**大災害**または自分のすごい力がかすむほどの強大な力に直面しているか？	**〈難題に直面した凡人〉** (60ページ)へ	ストーリー・クエスチョン#14へ
ストーリー・クエスチョン#12 そのヒーローは**不思議な呪い**にかかっているものの、それが最後には**かけがえのない教訓**になってくれるか？	**〈魔法のランプ〉** (72ページ) へ	ストーリー・クエスチョン#13へ
ストーリー・クエスチョン#13 そのヒーローは、いきなり**危険な事態**または**抗えない状況**に巻き込まれるか？ 例：『ダイ・ハード』『コンドル』『インデペンデンス・デイ』、自然災害や地球の危機なら『ツイスター』『アルマゲドン』。	ストーリー・クエスチョン#14へ	ストーリー・クエスチョン#17へ
ストーリー・クエスチョン#14 主人公たちは、自分たちをねらう**モンスター**、またはその場を破壊しつくそうとする**モンスター**（怪物やブギーマンのような殺人鬼）**から逃げ延びよう**としているか？	**〈家のなかのモンスター〉** (68ページ) へ	ストーリー・クエスチョン#15へ

	はい	いいえ
ストーリー・クエスチョン#15 その恐ろしい状況は、**よくある人生の問題**（結婚、離婚、死、成長など）と関連があるか？	**〈人生の節目〉** （70ページ）へ	ストーリー・ クエスチョン #16へ
ストーリー・クエスチョン#16 その恐ろしい状況の焦点となるのは、順応を迫って言いなりになることを求める**組織**や**グループ所属のヒーロー**か？	**〈組織のなかで〉** （66ページ）へ	ストーリー・ クエスチョン #19へ
ストーリー・クエスチョン#17 そのストーリーの焦点となるのは、順応を迫って言いなりになることを求める**組織**や**グループ所属のヒーロー**か？ 例：『トレーニング デイ』『リストラ・マン』	**〈組織のなかで〉** （66ページ）へ	ストーリー・ クエスチョン #18へ

	はい	いいえ
ストーリー・クエスチョン#18 そのストーリーは、**よくある人生の問題**（結婚、離婚、死、成長など）に対処するヒーローの話か？	**〈人生の節目〉** （70ページ）へ	ストーリー・ クエスチョン #19へ
ストーリー・クエスチョン#19 そのストーリーは、みんなによく無視されたりあきれられたりするけれども、実はその純真さや隠れた才能で、最後にはみんなのほうが間違っているとわからせてくれる**つまはじきの負け犬**の話か？	**〈バカの勝利〉** （62ページ）へ	ストーリー・ クエスチョン #20へ
ストーリー・クエスチョン#20 よし、ここまで質問に答えたのなら、構想中のストーリーがちゃんと明確なものになっているのかどうか、そろそろ判断を下すべき頃合いではないか。ヒーローに**はっきりとした目標**はあるか？　**ストーリーのきっかけ**になるものが何かあるか？　ちゃんと考えてから、ここまでの問いに再度取り組んでみよう。		

ストーリー類型１：バディとの心のつながり

ああ……！　愛……言いかえれば友情、母／娘との関係、少年と犬の絆、お互いを理解していく同僚……。〈あいつあっての自分〉という昔からあるストーリーのひとつがあなたの手元にある。傷ついたヒーローが相棒（バディ）を見つけて、いろいろあって、ふたりでひとつになる。ところが込み入った事情があって、それぞれがありのままで一緒にいるのはたいへん。

〈バディとの心のつながり〉のストーリーには、次の３つの要素がある。

1. **不完全なヒーロー**　肉体面・倫理面・精神面のいずれかで何かが欠けていて、完全になるために別の誰かを必要としている。
2. **相棒**（時としてもうひとりのヒーロー）　ヒーローの足りないところを補ったり、またはヒーローには欠けている分野で輝いたりする。
3. **込み入った事情**　誤解、考え方の対立、または社会的な壁。

例：『バッドボーイズ』『E.T.』『ブロークバック・マウンテン』『ズートピア』『恋人たちの予感』『美女と野獣』『ブリジャートン家』

〈バディとの心のつながり〉のストーリーを自分で考えよう

主人公たるヒーローは何者で、どこが**欠けて**いたり、どう**不完全**だったりするのか？

そのヒーローを相手するはめになった相棒とはどんなやつか？

お互いが**お互い**をどういうふうに**補う**のか？

誤解、意見の違い、社会規範など、ふたりを分かつ**込み入った事情**とは何だろうか？

ストーリー類型2：難題に直面した凡人

何のいわれもないのに、その無実のヒーローは、いきなり**大問題**に巻き込まれる。生死に関わる問題だ。さらに圧倒的な逆境にもかかわらず、機転や世渡りの知恵で奮闘して、何とか生き延びなければならない。

〈難題に直面した凡人〉のストーリーにも3つの要素があり、

1. **無実のヒーロー**　望んでもいないのに厄介な状況に引きずり込まれる。
2. **突然の出来事**　予告もなくこのかわいそうな無実のヒーローをこの苦痛に満ちた世界に引きずり込む。
3. **生死を分ける闘い**　個人・家族・集団・社会の存亡をかけて。

例：『ドント・ルック・アップ』『ダイ・ハード』『オデッセイ』『ハンガー・ゲーム』『ゼロ・グラビティ』『ホークアイ』『96時間』

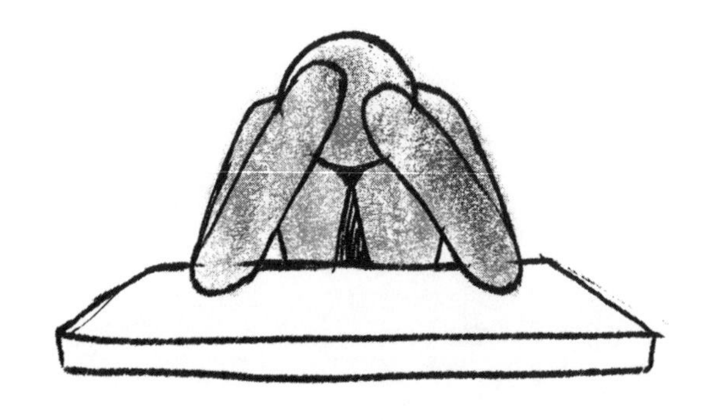

〈難題に直面した凡人〉のストーリーを自分で考えよう

ストーリーに**巻き込まれるヒーロー**は何者で、大問題に引きずり込まれるまでのその日常生活はどういうものか？

生死をかけた闘いのきっかけとなる**突然の出来事**とは何で、そのヒーローはどんなふうに巻き込まれるのか？

この**生死を分ける闘い**について詳しく記述した上で、ヒーローが直面する難題とは何か、圧倒的逆境にもかかわらず機転や世渡りの知恵を駆使してどんなふうに生き延びるのか？

ストーリー類型3：バカの勝利

そのヒーローは過小評価された負け犬で、〈体制側／勝ち組〉から〈バカ〉なやつだと思われながらもそいつらに立ち向かうこととなる。最後には自分の隠れた真価を見せつけて、大勝利する。〈バカの勝利〉というストーリーは、人生や現実になじめていないヒーローが、その人生や現実について何かしらを教えてくれる物語だ。

〈バカの勝利〉なるストーリーの３要素は、

1. **バカ**　その純真さこそが強みで、その個性のためによく無視されたり見下されたりする。
2. **勝ち組**　バカに下剋上される人々や集団で、日常生活のなかに元々いたり、新しい場所（はじめはなじめないが……）への転入当初に出会ったりする。
3. **大変身**　これでバカは新しい何者かになる（時として偶然や変装で生じる〈変名〉も含む）。

例：『エルフ～サンタの国からやってきた～』『ドリームプラン』『英国王のスピーチ』『キューティ・ブロンド』『ブギーナイツ』『チャンス』

〈バカの勝利〉のストーリーを自分で考えよう

ストーリー内で**過小評価される／負け犬のヒーロー**を詳しく記述しよう。頭の硬い集団や勝ち組のなかでも際だってユニークな主人公の資質とは何か？

そのヒーローの障害となる凝り固まった集団や**勝ち組**についても記述しよう。それからその純真なヒーローを過小評価して誤った判断を下した理由についても説明しよう。ヒーローがこいつらに与えうる教訓とは？

そのヒーローは**大変身**をするか？　新しい何者かになるのか？　偽名を使っていたり、正体を隠したりしているのか？

ストーリー類型4：金の羊毛

そのヒーローには使命がある！　使命といっても銀行強盗のこともあれば、火山に魔法の指輪を落とすこと、あるいは卓球の世界大会で優勝することもありえる。スポーツ映画、探求の冒険、乗り物による旅路など、どれもこの〈金の羊毛〉ジャンルのものに当てはまる。主人公の使命にははっきりとした道のりがあるわけだが、『オズの魔法使』や『マッドマックス 怒りのデス・ロード』のように文字通りの道の場合も、『メジャーリーグ』や『がんばれ！ベアーズ』みたいに野球の１シーズンのこともある。その道の先には、わかりやすい〈ごほうび〉や〈ゴールライン〉があるはずだ。その品を手に入れたら、物語はおしまいとなる。

〈金の羊毛〉のストーリーにある３要素は、

1. **道のり**　地球規模やある時代にまたがることもあれば、隣近所の数ブロックのことも。旅する〈道のり〉ごとにヒーローは成長していく。
2. **チームか仲間**　旅のお伴(とも)としてヒーローを導いてくれる。たいていは、ヒーローの持っていないもの（スキルや知識・物腰など）を体現・代弁してくれる人物。
3. **ごほうび**　まさに求めるもの。たいていは原始的・根源的なもの。わが家への帰宅、財宝の入手、生まれながらの権利の奪還など。

例：『ロード・オブ・ザ・リング』『ドッジボール』『リトル・ミス・サンシャイン』『1917 命をかけた伝令』『Harold & Kumar Go To White Castle』『プリティ・リーグ』『HUSTLE／ハッスル』

〈金の羊毛〉のストーリーを自分で考えよう

使命に挑むヒーローが得ようとしているその大きな**ごほうび**とは何か？　優勝か？　ゴールラインへ到達したいのか？　それとも大財宝などのモノを手に入れようとしているのか？

そこへ至るために越えなければならない**道のり**とは何か？　ごほうび獲得のため道中で行おうとする行為に、どんなことがあるか？

そのチームには**どんなやつら**がいるか？　仲間全員を短い言葉で説明していこう。

ストーリー類型5：組織のなかで

主人公となるヒーローが、ある集団・組織・体制のなかに閉じ込められている。こうしたストーリーでは、ヒーローがシステムに順応していくさまや、システム内における主人公の苦悩を描くことになる。その集団への帰属に価値があるかどうかを見極めて、最後には集団内に留まるか、そこから離れるか、その全部をぶち壊すかを選択しなければならない。職場ものや、組織・体制についてのストーリーは、〈組織のなかで〉を物語る際の定番とも言える。

〈組織のなかで〉の類型にも3つの要素があり、

1. **唯一の集団**（ファミリー・組織・会社） ヒーローが生活や業務を行い、時に対処しなければならないもの。
2. **進行中の対立・葛藤** 〈ブランド〉［『乱暴者（あばれもの）』等での既存の体制の転覆者］や〈うぶな新人〉VSシステムに従う〈会社人間〉のように。
3. **犠牲** どうしても避けられないもので、取り込まれる、焼き尽くす、〈自決〉する、の3つのうちいずれかの結末に至る。

例：『プラダを着た悪魔』『フルメタル・ジャケット』『リストラ・マン』『カッコーの巣の上で』

〈組織のなかで〉のストーリーを自分で考えよう

渦中の人物であるヒーローがまさに閉じ込められている**集団**や**組織**について詳しく記そう。

その体制の〈象徴〉ないし**会社人間**の役割を果たすキャラクターまたは悪役を記述しよう。

そのヒーローがその集団に対して抱えている**継続中の対立・葛藤**を記述しよう。主人公は染まりきらずにいられるのは、何のおかげか？

最後にそのヒーローが払う**犠牲**はどんなものか？　組織に取り込まれるのか、あるいはすべて焼き払うのか？　それとも、何もかもを終わらせて、何らかのかたちで自分を犠牲にしようと心に決めるのか？

ストーリー類型6：家のなかのモンスター

ぼくらのヒーローが追い詰められた！　モンスターがこちらに忍び寄ってくる！　果たして生き残れるのか?!!

〈家のなかのモンスター〉にある3要素は、

1. **モンスター**　人知を超えた力がある（別にその力の由来は狂気や強靭な意志でもよい）。
2. **建物**　ヒーローが追い詰められるところ。ある世帯や町全体でもいいし、何なら〈全世界〉でもいい。
3. **罪**　そのモンスターを招き入れた原因……無知を含む広い意味での罪。

例：『死霊館』『クワイエット・プレイス』『ウォーキング・デッド』『新感染 ファイナル・エクスプレス』『ハロウィン』『IT／イット』『ゲット・アウト』『ジョーズ』『エクソシスト』

〈家のなかのモンスター〉のストーリーを自分で考えよう

視点人物となるヒーローをおびやかす**恐怖のモンスター**を詳しく記そう。

そのモンスターを招いてしまった**罪**とは何か？（社会的なものでも、登場人物ひとりがしでかしたまずい行動でもよい）

そのヒーローが**追い詰められた場所**やその**経緯**を記述しよう。

ストーリー類型7：人生の節目

人生にまつわる問題（離婚、成長、死、中年の危機など）に苦しむヒーローは、真正面から取っ組み合わずに、それを避けて何とかしようとする。けれども最終的には苦い思いで教訓を得ることになる。

〈人生の節目〉のストーリーにも3つの要素がある。

1. **人生の問題**　思春期から中年期、そして死に至るまで（つまり誰でもわかる普遍的な生涯）のどこかで起きる出来事。
2. **誤った対処**　問題の取り組み方としては的外れで、たいてい直面している苦痛から目をそらす。
3. **厳しい現実の受け入れ**　ずっと奮闘してきたヒーローはこれを悟って、問題解決のためには周囲ではなく自分の方が変わらなければいけないことを知る。

例：『コーダ あいのうた』『レディ・バード』『普通の人々』『ブライズメイズ 史上最悪のウェディングプラン』『ロスト・イン・トランスレーション』『バードマン あるいは（無知がもたらす予期せぬ奇跡）』

〈人生の節目〉のストーリーを自分で考えよう

ヒーローが対処しなければいけないよくある**人生の問題**とは何か？

ヒーローが問題の取り組み方として採っている**的外れな対処**とはどんなものか？

問題解決のためにヒーローがいずれ受け入れなければならない**厳しい現実**とは何か？　最後に主人公は、周囲ではなく自分自身について何かを変えなければいけないが——それはどんなことか？

ストーリー類型８：魔法のランプ

平凡なヒーローの人生が不思議な力で一変し、願いが叶えられたり、力を授かったり、または呪いを受けたりする。いずれにしても、この不思議な力のためにヒーローの人生が変わり、あげく事態がややこしくなる。最後にはその不思議な力も解除されるが、そこから得た教訓はヒーローの心の底にずっと残る。

この〈魔法のランプ〉の３要素は、

1．**願い**　ヒーローやほかのキャラクターの望みで、平凡な日常から解放されたいという要求。
2．**魔法**　不思議な力を授けるとともに、きっちり定められた一連のルールに従うもの。
3．**教訓**　おのれの欲求にはご用心！　〈魔法のランプ〉に共通するテーマとしては、そのままの人生がいい、ということ。

例：『フリーキー・フライデー』『スパイダーマン：ノー・ウェイ・ホーム』『もしも昨日が選べたら』『ブルース・オールマイティ』『恋はデジャ・ブ』『ビッグ』『ライアー ライアー』『フィールド・オブ・ドリームス』

〈魔法のランプ〉のストーリーを自分で考えよう

主人公であるヒーローが叶えたい切実な**願い**とは何か？　あるいは逆に、重い罰（つまり教訓をはらんだ呪い！）に値するほどの、ヒーローの犯した根の深い罪とはどういうものか？

〈不思議な力〉を授けたり、呪いをかけたりする**魔法**について記述しよう。

不思議な力との出会いが最後に授けてくれる**教訓**とは何か？

ストーリー類型９：スーパーヒーロー

何だあれは！　鳥か、飛行機か……スーパーヒーローのストーリーだ！　そのヒーローは、何か普通ではない力を有している（あるいはよんどころない大義に全身全霊を捧げている）。とんでもない強敵や、自分の力の限界まで試されるほどの大災害と対峙することになる。この種の映画は、その世界の価値観という試練にさらされる、普通ではない人々の話でもある。

〈スーパーヒーロー〉の３要素は、

1. **特殊能力**　正義や善行を使命としているだけの場合も含む。
2. **強敵**　同格ないしそれ以上の力を持つ敵、あるいはヒーローの試練となるような大災害。
3. **呪い**　自分のあり方と引き替えとなる呪いで、ヒーローは乗り越えるか屈することになる。

例：『ブラックパンサー』『マン・オブ・スティール』『アイアンマン』『スパイダーマン』『007』『エリン・ブロコビッチ』

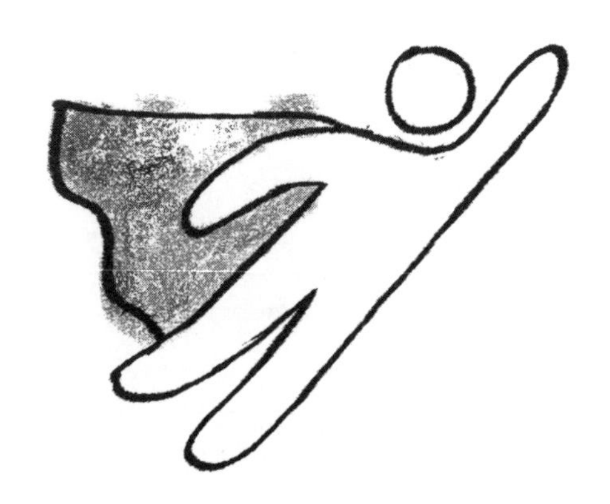

〈スーパーヒーロー〉のストーリーを自分で考えよう

活躍するヒーローの**超能力**、または全身を捧げるほかない使命について詳しく記そう。

さすがのスーパーヒーローでさえひるんでしまう**強敵**または大災害を記述しよう。

ストーリー類型10：なぜやったのか？

ヒーロー（探偵役）は事件を追求するのだけれども、その真の謎は〈なぜ〉にあって、そのため事件に抗えないほど惹きつけられた主人公は、自分から深い闇に飛び込んで答えを見つけようとする。

〈なぜやったのか？〉は別名を〈ホワイダニット〉とも言い、やはり３つの要素がある。

1. **探偵役**　変化しない存在。捜査をする役割だが、私立探偵、本職の刑事、架空の職業など種類は問わない。
2. **秘密**　この事件における秘密は強大なあまり、金銭欲や権力欲・名声欲にもまさるもの。
3. **闇堕ち**　つまり、秘密を追い求めてきた探偵役はその果てにルールを破り、自分自身さえも裏切ってしまう——自分の安全のために長年よりどころにしてきたルールである場合も多い。秘密という魅惑はあまりにも強い引力を持つ。

例：『THE BATMAN―ザ・バットマン―』『セブン』『ブレードランナー』『ボディヒート』『ビッグ・リボウスキ』『チャイナタウン』

〈なぜやったのか？〉のストーリーを自分で考えよう

探偵役のヒーロー（私立探偵でも本職の刑事でもOK）を描写しよう。いったい何者か？

その答えを知るためなら、**いかなる犠牲**も払おうと思わせるほど、抗えない魅力のある事件とはどんなものか？

金銭欲や権力欲・名声欲にもまさるほど重要な、ヒーロー自身をも蝕む事件とはどんなものか？

『SAVE THE CAT の法則』ストーリー類型の独自研究

アイデアを練りながら、自分の作品と同じストーリー類型に当てはまるストーリーをいろいろ読んだり見たりすると、たいへん役に立つ。時には、トーンや題材がかなり異なっていても、同じ類型にはまりそうなら、あえてその作品を取り上げてみるのもおすすめだ。たとえば、〈家のなかのモンスター〉の類型は、『おつむてんてんクリニック』のようなコメディにも当てはまることがあって、『クワイエット・プレイス』みたいな怖いホラー映画、『セッション』といったドラマと一緒にこの分類に入れたりできるのだ。

とにかくここでは、『SAVE THE CATの法則』のストーリー類型に照らして、自分の作品と同じ分類に当てはまると思う既存の作品（本、映画、TV番組など何でもOK）を５つ挙げてみよう。

1. ______

2. ______

3. ______

4. ______

5. ______

第4章

書き手として
自分で道を選んで進もう

CHOOSE YOUR OWN
WRITER
ADVENTURE

クイズの時間だ、ホットショット

まだ大きな決断が残っている。次のクイズを順番に進めていこう！　ここまでよくやってくれたので、あらかじめ**10点**を進呈（しんてい）する！　それだけの価値がある。では、以下の質問に答えながら、点数の計算をしてほしい。もう一度言うが、**最初の時点で10点**ある。

1．構想中のストーリーの結末について、いいアイデアがすでにある？（はい：＋1点、いいえ：－1点）
2．プロットのひねりよりも、キャラクターの動機のほうがうまく思いつく？（はい：－1点、いいえ：＋1点）
3．ストーリーのプロットについて、すごくいいアイデアがある？（はい：＋2点、いいえ：－1点）
4．ストーリーの主人公が誰で、その内面の葛藤がどんなものなのか、はっきりとイメージできている？（はい：－2点、いいえ：＋1点）
5．決戦に勝つためにヒーローが乗り越えなければならない大きな障害（あるいは悪役）がどういう存在かつかめている？（はい：＋1点、いいえ：－1点）
6．キャラクターの内面の旅を定義する感情面のテーマがすでに決まっている？（はい：－1点、いいえ：＋1点）
7．ヒーローが決戦に勝てなかった場合に起こるおそろしい結果の内容がわかっている？（はい：＋1点、いいえ：－1点）
8．ヒーローのひそかな恐怖の中身が把握できている？（はい：－1点、いいえ：＋1点）

点数：＿＿＿＿＿＿

採点結果

12点以上なら……あなたは、プロット先行型の**外の状況から詰めていく**書き手。
3〜8点なら……あなたは、**内面から詰めていく**書き手。
9〜11点なら……あなたは、バランスの取れた書き手。**内面から／外の状況から**のどちらを選んでも可。
当てはまるほうに○を付けよう。

わたしは

内面から　／　外の状況から

詰めていく書き手だ

外の状況から詰めていく書き手の説明書

あなたが外の状況から詰めていく書き手に当てはまる場合は、次の説明書の通りに進めてみよう。

1. すぐに87ページからの次の章「そのプロットにもっと厚みを！」へ進んで、全部の項目に取り組もう。
2. 「そのプロットにもっと厚みを！」の章が終わったら、このページに戻ってきて、次の問いに答えること。

どんなヒーローが自分のストーリーに最適か？
ヒーローは設定上とんでもない欠点があって、そのせいで人生が台無しになりかけている。このストーリーのおかげで、ヒーローはマシに変われる可能性がある。

例：
『ライアー ライアー』の主人公は始終ウソばかりの弁護士だったが、呪いにかかって本当のことしか言えなくなった。
『リメンバー・ミー』の主人公は、家庭内の〈音楽禁止の掟〉に反抗したあと、死者の国へ行くことになるが、そこで一家の歴史を知り、音楽の力で家族の絆を取り戻す。
『オズの魔法使』の主人公は心に穴が空いていて、虹のかなたのどこかに行きたいと夢見ていたが……願いを叶えたとき、わが家の大切さにあらためて気づく。

ストーリーのおかげで成長できる主人公として、どんなヒーローがいちばんいいだろうか？　どんな欠点があるといいか？（すぐに答えが思い当たらない場合は、112ページのリストを参考にするとヒントが見つかるかもしれない）

3. 上の質問に答え終わったら、101ページからの「作品内キャラクターの作り込み」の章を開いて、空欄を埋めていこう。

内面から詰めていく書き手の説明書

あなたは内面から詰めていく書き手。まずキャラクターから動かして、テーマを先行させてどんどん書いていく。次の説明書の通りに進んでみよう。

1. とりあえず「プロット」の章は飛ばして、そのまま101ページからの「キャラクターの作り込み」の章に行こう。
2. 「キャラクターの作り込み」の章をやり終えたら、ここに戻ってきて、次の問いに答えること。**登場人物が思い知るべき教訓を、自作ストーリーはどんなふうに伝えているか？** たいていのストーリーでは、登場人物の思い知るべき教訓は、痛烈なかたちで届けられる。

   例：
   『ライアー ライアー』では、主人公はウソをつけなくなる呪いをかけられているので、元々の虚言癖を封じられて、普段よりも正直にならざるをえなくなる。
   『リメンバー・ミー』では、主人公は一家に禁止の掟があるにもかかわらず、音楽を演奏したがって、あげく気づけば死者の国に来てしまうわけだが、生き返るためには高祖母の許しを得ることが必要で、しかも永遠に音楽をあきらめると約束しないと許しがもらえそうにない。
   『英国王のスピーチ』では、吃音症の国王が、国の一大事に際してスピーチをしなければならない事態に迫られ、大衆の前で話すことへの恐怖に否応なく直面させられる。

   元々の輪郭線から自由にはみ出して、自分の作品内のキャラクターにいちばん合うようにストーリーを考え直してみよう。自分の欠点に向き合わせたり、心の奥底にある恐怖と対峙させたりするストーリーのおかげで、主人公はどんなふうに変化せざるをえないだろうか？

3. 「作品内キャラクターの作り込み」の章を終わらせた上で、上の問いにも答えられたのなら、このページをめくって次は「そのプロットにもっと厚みを！」の章を全部やってみよう。

第5章

そのプロットにもっと厚みを！

LET'S THICKEN THAT PLOT!

ストーリーのDNA

ストーリーとは、受け手の心をずっとハラハラさせ続けるものだ。この先**ヒーロー**は**障害**を乗り越えて、**目的**を果たせるのだろうか？　それとも何か悪いことが起きるのか？（**危機感**）
ハラハラさせるためにも、ストーリーには次のものが必要となる。

1. **ヒーロー**　主人公（メインキャラクター）。ヒーローは必ずしも〈いいやつ〉を意味しない。〈悪党〉の場合だってあるけれども、視点人物であり、なおかつ応援する相手だ。
2. **目標**　作品内でヒーローが追い求めるもの。
3. **障害**　ヒーローの目的達成を阻むもの。ヒーローがうまくくぐり抜けて目的を果たすにあたって、ストーリー全部を費やしてしまうほど手強いものでなくてはならない。あえて難関にしよう。
4. **危機感**　目標を達せなかった場合に起こりうる恐ろしい結果・末路の予感。ヒーローが差し迫った行動をする必要があり、なおかつものすごい難題（つまり障害！）に直面して引き返せなくなるくらい、〈生死〉のかかったものでないといけない。

『SAVE THE CATの法則』のストーリー類型に当てはめる際に出したあなたの回答（52〜57ページ）が、ストーリーのDNAを見極める大きな手がかりになってくれる。ここからのページで詳しく考えるときには、そのことも振り返ってみよう。

このストーリーのヒーローは何者か？

ここでは、登場人物の名前や過去はまず横に置いておくように。そのヒーローの職業、あるいは人生の段階・属性は？　教員なのか、中学生なのか、それとも私的処刑人（ヴィジランテ）なのか？

その人物の心理や内面をおおまかに表す形容語句があるとすれば、何だろうか？
その人生の段階・属性と**矛盾**するような形容語句を見つけ出してみよう。
例：**臆病な兵士、復讐の修道女、忘れん坊の天才**。
形容語句は、その人物の何か欠点を反映することも多い。そんな〈矛盾する〉形容詞が何かあるだろうか？

目標：ヒーローの勝ち方

主人公たるヒーローがストーリー内で達成しようと努力していることとは、いったい何か？　たいていは新しいこと、つまり物語るストーリー内で新たに重要となった物事のことだ。どう定義づけていいか困った場合は、先の『SAVE THE CATの法則』式10のストーリー類型（58〜78ページ）に戻って書き記した内容を振り返ってみるといい。
ヒーローの目標には具体性があるほうがいい。**明確に定義できるゴールライン**にするのがおすすめだ。「幸せになりたい」とか「放っておいてほしい」とかいうのは、はっきりとしたゴールラインにはならない。「家に帰る」「優勝トロフィを獲得する」「悪者を捕まえる」などは、いずれもゴールラインが映像としてもイメージしやすい。いわゆる「**画（え）になるゴールライン**」だ。まさにヒーローの勝利の瞬間を画にできれば……それこそ明確なゴールラインとなる。
この点で苦労する人は、ヒーローの**望み**と目標を混同していることが多い。「悲しみを乗り越えたい」「幸せになりたい」「ひとりになりたい」というヒーローがいるのは結構なことだが、その次のステップとして自問自答してほしい。どうすれば「幸せになれる」と考えているのか、どういうゴールラインを切れば「ひとりになれる」のか？　望みが叶えられるとヒーローが思えるような、画になるゴールラインを作ろう。

この下に、ヒーローにとって**画になるゴールライン**を詳しく記そう。

障害：ヒーローを阻むもの

ヒーローの目標達成の障害となっている高いハードルとはいったい何か？　この障害は本当の本当に乗り越えがたいものでないといけない。取り組むのに映画まるまる１本くらい必要な大きな障害であることが必要だ。目標をできるだけ難しいものにしておくと間違いがない。不可能を可能にせよ！　障害こそがヒーローの真価を試すもの、キャラクターを引き立たせるものとなる。
ここでは、検討可能な障害を数種類掲げてみる。

・**他者**（悪党、強敵、道を阻む何者か）
・**自分**（心の問題、体の問題、思考の挫折）
・**自然**（嵐、獣、地勢）
・**不思議**（呪い、怪物、魔法）
・**社会**（制度、主義、社会構造）
・**技術**（ロボット、コンピュータ、トラックなど）
・**未知または謎**
・**運命**

この下に、ヒーローの目標達成を阻むものを詳しく記してみよう（本当の本当に乗り越えがたいものにすること）。

危機感：ヒーローが失敗した場合どうなるのか？

万が一ヒーローが目標達成できなかったら、どういう結果・末路になるのか？〈生死〉のかかった問題でないといけない。生死の問題と言っても、スーパーヒーローにとっての問題と……たとえばプロム［卒業記念ダンスパーティ］に相手を誘いたい高校生、社内のソフトボール大会で優勝を目指す人にとっての問題では、やはり変わってくることに要注意だ。

ヒーローが目標達成に失敗したら起きる恐ろしいこととはどういうものか？

ヒーローが今このときに行動を起こすしかない理由とは？

失敗という選択肢が**あってはいけない**理由、やめることも引き返すことも無理な理由を説明しよう。

きっかけ

主人公たるヒーローを日常世界から物語という〈新世界〉へと追いやる〈青天の霹靂〉、つまり突然の出来事（きっかけ）とはいったい何か？　新しい任務、新たな事件、心の友との出会い、落雷直撃、自宅に幽霊出没、放射能汚染された猫の嚙みつきなどもありえる。
この点は、ここまでで書き込み済みかもしれない。そのひとつが気に入っている場合は、ここに書き写した上で、ほかの選択肢も考えてみよう。
きっかけ候補を５つ思いついたあとで、いちばんいいものに○を。

1	
2	
3	
4	
5	

エレベーター・ピッチ：第1回目の挑戦

なんと、あなたは自分のストーリーを製作してくれるかもしれないお偉いさんとエレベーターを相乗りすることになった。絶好のチャンスだ。自作を売り込むまさにそのときだ。到着するまであと５階分ある……
直前５ページ分で書いた答えをうまく使って、こちらのテンプレートを埋めてみよう。

＿＿＿＿＿＿＿＿＿＿＿＿＿＿＿＿＿＿＿＿ のあと、
（突然の出来事／きっかけ）

＿＿＿＿＿＿＿＿＿＿＿＿＿＿＿＿＿＿＿＿ は、
（ヒーローについて名前以外の説明）

＿＿＿＿＿＿＿＿＿＿＿＿＿＿＿＿＿＿＿＿ を乗り越えねばなりませんが、
（障害）

その理由は ＿＿＿＿＿＿＿＿＿＿＿＿＿＿＿＿＿＿＿＿ で
（ある目標達成のために努力していることの説明）

さもないと ＿＿＿＿＿＿＿＿＿＿＿＿＿＿＿＿＿＿＿＿ からです。
（いずれ起こる恐ろしいこと）

トーンメーター

トーン、つまり作品全体の雰囲気は、早めにつかんでおくのが肝心だ。そのストーリーはどれくらいシリアスな話か？　爆笑するくらい愉快な話か？　どんより重苦しい話か？　クセのある軽妙な話なのか？

トーンを表現する上でいちばん楽なのは、ほかのストーリーと比較対照することだ。構想中の作品と似たトーンの映画やTV番組がいくつかあるなら、どんな作品か挙げてみよう。

トーン

構想中のストーリーのトーンを表すものとして、いちばんぴったりな単語に○を付けてみよう。

社会風刺

ムナクソ悪い　バカ正直　下品

私小説　冷酷　シリアス

陽気　皮肉　考え込む　悲しい

恐怖　容赦ない　陰鬱　血なまぐさい

クセのある　まじめ　重々しい　スタイリッシュ

教養豊か　気が滅入る　ユーモアたっぷり　お気楽

おふざけ　ごまかしのない　衝撃的

教育的　お笑い　感動的

勇気が出てくる

ストーリー対照用のトーンメーター

自分の作品と近しいストーリーを活用して、トーンの指標となるトーンメーターを作ってみよう。たとえばこのページの例は、バットマン映画（TV番組）を使って作成したトーンメーターだ。何かひとつストーリーを選んで、自分でもこしらえてみてほしい（別に同一原作の作品展開で揃える必要はない）。また全10作を埋めきらなくてもOKだ。空欄はご自由に。ただし、トーンに当てはまると感じたのなら、必ずその作品をメーター内にしっかり書き込もう。

トーン別バットマンの例	自分の作品
1.『レゴバットマン ザ・ムービー』	1.
2.『怪鳥人間バットマン』	2.
3.『バットマン フォーエヴァー』	3.
4.『バットマン リターンズ』	4.
5.『バットマン』	5.
6.『バットマン』(90年代アニメ版)	6.
7.『バットマン VS スーパーマン』	7.
8.『バットマン ビギンズ』	8.
9.『ダークナイト』	9.
10.『THE BATMAN—ザ・バットマン—』	10.

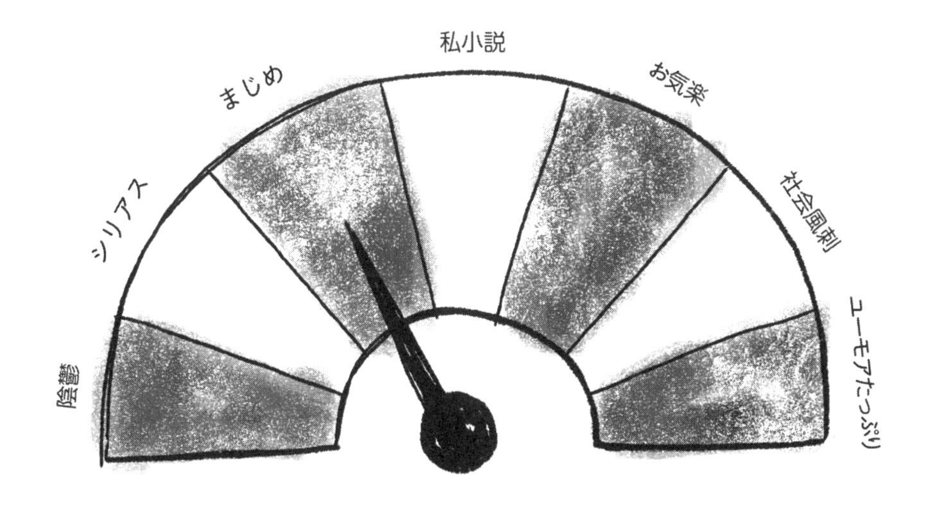

内面から VS 外の状況から

あなたが外の状況から詰めていく書き手の場合は、101ページからの「作品内キャラクターの作り込み」に進む前に、いったん84ページに戻って２つ目の問いに答えよう。
あなたが内面から詰めていく書き手の場合は、もう「キャラクター」の各項目は取り組み済みなので、自作ヒーローのことは熟知しているはずだ。あいだは飛ばして、121ページの「脇役集まれ！」に進もう。

第6章

作品内キャラクターの作り込み

DEVELOP *your* CHARACTERS

作品内キャラクターの設定

〈かけ合わせ〉という安易な設定テクニックのことをご存知だろうか？　『ブレイキング・バッド』と『ダウントン・アビー』をかけ合わせる！　または『グッド・プレイス』と『ジョン・ウィック』のかけ合わせ。このテクニックのすごいところは、見ての通り、古いもの２つを組み合わせて新しいアイデアが生まれる点だ。ピーナツバター＆チョコや、パンプキン・スパイス・ラテみたいに！
作品内キャラクターに個性として何を加えればいいのか、楽しく見極められる手段でもある。
ダース・ベイダー［『スター・ウォーズ』シリーズ］とマーク・ザッカーバーグ［Facebook (Meta) 創業者］のかけ合わせ。エル・ウッズ［『キューティ・ブロンド』シリーズ］とハンニバル・レクター［『羊たちの沈黙』など］のかけ合わせ。マクベス［シェイクスピア作品］とジョン・ウィック［同名映画シリーズ］のかけ合わせ。ほら、古いのに……新しい！
あなたの番だ。作品内のヒーローを、有名キャラクター（少なくとも自分にとっては有名な）２名のかけ合わせで表現してみよう。

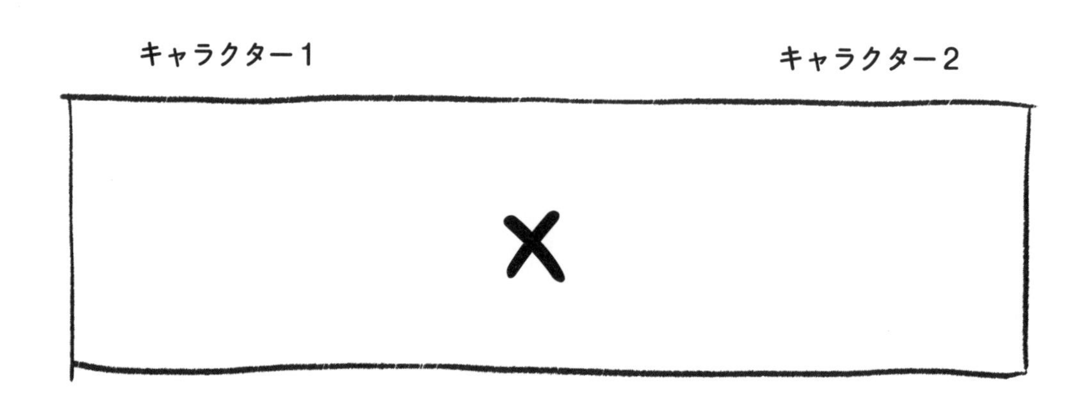

自分なりのキャスティング

作品内のヒーローに、昔・今の有名スター（または自分の個人的な知りあい）をキャスティングできるとしたら、誰がぴったりだろうか？　そのヒーローにぜひと思う夢のスターの写真を印刷なりコピーなりして、下に貼り付けよう。

速報： ＿＿＿＿＿＿＿＿＿＿＿＿＿＿＿＿ **が**

（スターの名前を記入）

＿＿＿＿＿＿＿＿＿＿＿＿＿＿＿＿＿＿ **の主演に！**

（自作タイトルを記入）

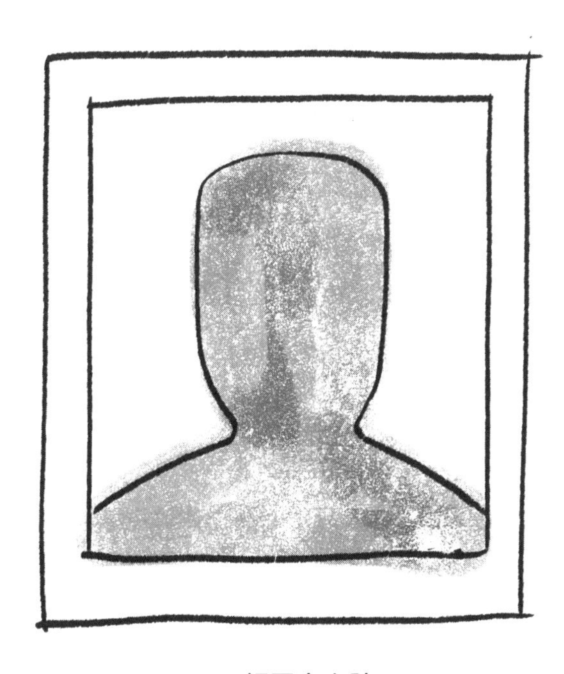

ここに顔写真を貼る

ヒーローの核にあるものは？

ヒーローの親友が（とりあえず親友がいるとして）、そのヒーローの特徴を表す二つ名を冠したTシャツを購入することに。その言葉を下図に書き入れてみよう。Tシャツ店で入れられる言葉一覧は、隣ページを参照のこと。

特徴を表す形容語句について以下を参考にひとつ選んで［必要ならそのあとに名詞・代名詞・固有名詞を補って］Tシャツをカスタマイズしよう。

愛がある
愛国者の
アイデアあふれる
愛らしい
悪意のある
悪人の
あけすけな
アスリート型の
あたたかな心の
頭のおかしい
頭のかたい
扱いにくい
当てにしていい
兄貴／姉御肌の
甘やかされた
謝りぐせの
ありがたい
言いなりの
いかめしい
いかりんぼの
怒れる
行き当たりばったりの
生き生きとした
意気消沈の
意志の固い
いたずら好きな
一心不乱な
威張り散らす
色気のある
陰気な
うさんくさい
ウソつきの
疑り深い
内気な
鬱々とした
うっかり屋の
鬱陶しい
器の大きい
うぬぼれ屋の
裏表のない
裏切り者の
うわついた
うわの空の
えこひいきしない
縁の下の
横柄な
お気楽な
臆病者の
おしゃべりな
おそるべき
おだやかな
落ち着きのない
大人げない

おびえた
おめでたい
思いやりのある
おもしろい
親分風の
愚か者の
恩知らずの
温和な
快活な
肩の力が抜けた
堅物の
悲しみの
金持ちの
我の強い
我慢強い
かわいそうな
頑固者の
感じやすい
癇癪持ちの
勘の鋭い
勘の鈍い
寛容な
気配り上手の
気苦労のない
危険人物の
奇人変人の
気立てのよい
几帳面な
気取らない
気の利かない
気の利く
気の動転した
気の抜けた
気分屋の
希望がない
希望に満ちた
気前のいい
逆上の
行儀のよい
狂犬の
協調性ある
教養のある
享楽的な
狂乱の
挙動不審の
規律正しい
きれい好きの
切れ者の
キレやすい
議論好きの
勤勉な
食えない
口が堅い
口の達者な

ケチくさい
決断力のある
下品な
厳格な
けんか早い
謙虚な
言行一致の
現状満足の
堅忍不抜の
倹約家の
子犬のように元気な
幸運な
合格点の
狡猾な
好奇心旺盛な
豪胆な
興奮しやすい
公明正大な
強欲な
効率の悪い
こうるさい
虎穴に入る
孤高の
小言のうるさい
心清らかな
心強い
心の折れた
こすからい
好みにうるさい
細かいこだわりのある
コミュ障の
凝り性の
怖い物知らずの
怖がりの
困窮の
罪悪感にさいなまれた
才気煥発の
察しのよい
寂しがり屋の
残酷な
燦爛たる
慈愛に満ちた
幸せ者の
仕事熱心な
自信の足りない
自信満々の
下っぱ気質の
しつこい
嫉妬深い
慈悲深い
自分本位の

自慢屋の
邪悪な
社会派の
周章狼狽の
主義主張ある
正直者の
小心者の
冗談のうまい
情熱的な
上品ぶる
職務を守る
支離滅裂な
思慮のある
神経質な
紳士の
信心深い
親切者の
心配事のない
心配性の
信用に値しない
信頼関係のない
信頼感のある
好き嫌いの多い
すぐカッとなる
すぐ気がつく
すぐすねる
すぐ悲観する
スリル好きの
誠意の足りない
成功者の
成熟した
背高のっぽの
責任感の強い
世間知らずの
せっかちな
説得のうまい
世話好きの
専門家の
善良な
想像力あふれる
粗忽者の
底抜けの
育ちのいい
退屈させがちな
退屈しがちの
大胆不敵な
頼もしい
多忙の
だまされやすい
頼りない
だらしない
力にあふれた
力を秘めた
知性のきらめく

知謀の
茶目っ気のある
忠節の
超自信満々の
疲れ切った
疲れを知らない
慎みのある
冷たい心の
つんとした
体裁のいい
丁寧な物腰の
手際のよい
手際のよくない
天才の
道化の
闘士たる
同情心あふれる
獰猛な
道理をわきまえた
度胸のある
独創的な
独断専行の
徳の高い
独立心のある
とにかく明るい
戸惑いがちの
度を超えた
鈍感な
情けの深い
情け容赦ない
謎めいた
怠け者の
涙もろい
悩みがちの
難癖好きの
軟弱者の
にぎやかな
にくたらしい
人気者の
抜け目ない
熱意のある
熱狂的な
のろまの
のんきな
博学な
恥を知るべき
発明の才がある
はにかみ屋の
腹黒い
控えめな
びくともしない
非情な
ひたむきな
引っ込み思案の

人あたりのいい
人たらしの
人なつっこい
人の気持ちを察しない
人の間違いを許さない
ひとりよがりの
人を信じて疑わない
人をすぐ信じる
ひねくれ者の
びびりの
美貌の
秘密主義の
ひょうきん者の
卑劣な
品のある
貧乏人の
無愛想な
不寛容な
不器用な
不屈の
不幸な
不細工な
不作法な
ふしだらな
不親切な
不誠実な
不動の
無難な
ふぬけの
不満たらたらの
分別のある
平均的な
勉強好きの
便利屋の
冒険野郎
暴力的な
誇り高い
ほら吹きの
本物を知る
前向きな
まぬけな
真似のできない
満足顔の
見境のない
みじめな
未熟な
魅力あふれる
無感情の
ムキムキの
無垢な
向こう見ずな

無慈悲な
無邪気な
無節操な
ムナクソ悪い
迷信深い
命令遵守の
目上に弱い
物静かな
物わかりのよい
ものを知らない
役に立つ
野心あふれる
野性味のある
野暮な
やんちゃな
有識者の
勇者の
優柔不断な
優美な
雄弁な
ユーモアのある
油断のない
夢追い人の
夢見がちな
用意周到な
陽気な
要求の多い
用心深い
よく働く
よこしまな
よそよそしい
欲求不満の
世に失望した
弱い
楽天家の
乱暴者の
リーダーシップのある
利口者の
利己的な
利他的な
良心のある
吝嗇の
倫理を重んずる
礼儀知らずの
礼儀にこだわる
冷静沈着な
礼節のない
浪費家の
論理を重んずる
若さあふれる
忘れっぽい

ヒーローの闇の側面

ヒーローの外面の性格が定まったら、次はそれを立体的にしていこう。造形が立体的なキャラクターには、〈影の自分〉という隠された裏面があるものだ。
ヒーローの外面の性格と正反対になるような、心の裏側とはどんなものだろうか？Tシャツの背中側に入れられるように、ヒーローの秘密の闇を表す言葉も探してみよう。やはりさきほど選んだ特徴とは矛盾するものがいい。表の特徴がポジティブなら、裏の自分はネガティブに。表の特徴がネガティブなら、影の自分はポジティブにするのがふつうだ。

闇があらわになるシーン

選んで決めたその影の自分は、どんなかたちで姿を現すか？　ヒーローがその人生を歩むなかで、闇の側面があらわになるシーンを思い描いてみよう。

ヒーローのSNS

CATSTAGRAM

名前：

誕生日：

職業：

交際ステータス：

出身地：

趣味／関心：

自分のテーマソング：

プロフィール一問一答

人生における座右の銘：

10年後の自分の理想像：

これからしようと思うこと：

いちばん怖いこと：

公開 ▼　投稿

ヒーローの１日の過ごし方

ヒーローの１日の様子はどんなものか？　その過ごし方の予定表を作ってみよう。自宅で、仕事中に、遊びで、いったい何をしているのか具体的に記そう。見ているTV番組は？　会っている相手は？　夜を過ごす場所とは？

時刻	やること
午前7時～9時	
午前9時～正午	
正午～午後2時	
午後2時～4時	
午後4時～6時	
午後7時～10時	
午後11時～0時	

それでは今年のゴールデンキャット大賞の座に輝くのは……！

あなたの作品が、**最優秀ストーリー賞**を受賞しました！　そこで、心のこもったスピーチ原稿を執筆して、今作のキャラクターに命を吹き込むに至ったその思いを語ってほしい。ヒーローが立ち向かうことになる、あなたにとっても重い意味があるアレとは、いったい何のことか？　あなたにとって見た目以上にこのストーリーが深い意味を持つのは、どうしてか？　音楽で言葉がかき消えてしまう前に、ぜひ教えてほしい。

欠点リスト

何でも完璧では退屈してしまう。作品内のヒーローには欠点が必要だ。このことを重く受け止めて……ヒーローの欠点とは何か、考えみてほしい。
考えるヒントとなるものを、ここにリストとして掲げよう。

飽きやすい
悪徳な
浅はかな
厚かましい
甘やかされた
意外性に欠ける
石橋を叩いて渡る
いたずら好きの
嫌味たらしい
陰キャの
インチキな
隠蔽体質の
上から目線の
受け身の
ウソを言いふらす
内弁慶の
器の小さい
裏切り者の
うわさ好きの
運のない
演技的性格の
横柄な
臆病者の
押しつけがましい
おせっかいな
おっちょこちょいの
大人げない
思い込みの激しい
陰口好きの
過去にとらわれた

神をも恐れぬ
頑固者の
感情の起伏が激しい
完璧主義の
偽善者の
既得権益の
気取り屋の
気の利かない
気の小さい
強迫観念のある
恐怖症の
虚栄心の強い
軽薄な
激情にかられやすい
潔癖症の
現実がわからない
権力欲の強い
強欲な
誇大妄想をする
差別発言をする
残酷な
自己愛が強い
自己中心的な
仕事中毒の
自己憐憫にはまった
自信喪失した
自制心がない
嫉妬深い
実利しか考えない

自暴自棄な
社会不安のある
杓子定規の
執念深い
情緒不安定な
神経質な
心配性の
世間知らずの
説教好きの
詮索好きの
俗物の
退屈させがちな
他人を操る
短気な
注意散漫な
特権を振りかざす
怠け癖のある
何でも反発する
恥ずかしがりの
破滅的性格の
反社会的行動をする
人付き合いの苦手な
人の心がわからない
人の不幸を喜ぶ
人のよすぎる
独り言の多い
人を信じられない
びびりの
秘密をすぐバラす

不誠実な
不遜な
ぶっきらぼうな
不倫をする
下手くそな
偏見のある
偏執的な
方向音痴の
負けず嫌いの
負けを認めない
まじめくさった
未熟な
無感情な
向こう見ずな
無能な
無力感にさいなまれた
迷信深い
目立ちたがりの
面倒くさがりの
妄想癖のある
物忘れのひどい
野心がありすぎる
優柔不断の
ユーモアのない
幼稚な
利己主義の
理想主義の
礼儀のなっていない
老害の

欠点

自作ヒーローの**欠点**を下の空欄に［必要なら名詞を補って］でかでかと書き入れてほしい。じっくり時間をかけて決めよう——この欠点がストーリーの核心部分になるはずだ。これによって左右されるのが、いわゆるキャラクターアーク［展開とともに登場人物がたどる変化の軌跡］で、〈ストーリーの本当の中身とは何か〉に対する答えにもなる。

その欠点が、以下に当てはまるか確認しよう。

- [ ] ヒーローの欠点は、ストーリー次第で克服される。
- [ ] その欠点は自分の心に響くもので、ストーリーの核心部分である。作者として、深く掘り下げることに興味が持てるものか、思考・執筆・調査に当たって関心が持てるものでないといけない。
- [ ] その欠点は、受け手の心に響くものである。

ガラスの破片

主人公たるヒーローにこのような欠点が生まれた背景とは？　過去にどんな恐ろしいことがあって、この欠点を持つに至ったのか？　ヒーローの〈ガラスの破片〉について、下の空欄を埋めてみよう。

克服が必要なもの

ヒーローの欠点は、その日常世界を乱すものだ。家庭や仕事や趣味でトラブルを抱えている。生活・人生のなかで克服しないといけない事柄を詳しく記していこう。

- ☐ 魅力や性格の面で変化はあるか？　記してみよう。

- ☐ そのせいで人間関係はギクシャクしているか？　教えてほしい。

- ☐ そのせいで物事を任せられないと思われているか、それとも責任感がなくなっているのか？　どの点で？　どんなふうに？

- ☐ その点は、重要人物に見逃されているか？　誰から？　どんなふうに？

- ☐ 他人からの信頼がなくなっているのか、自分で自分をあきらめているのか？

- ☐ ほかに克服が必要なことがあるか？　さっと書いてみよう。

ヒーローが読むべき自己啓発本

主人公たるヒーローには根の深い欠点がある。その人生の立て直しのため、**読むべき**理想の自己啓発本があるとすれば、どんなものか？　実在するものでも、自分で捏造したものでも可。その本のタイトルと、ヒーローが教訓として受け取る人生の変わる３つのルールを記してみよう。

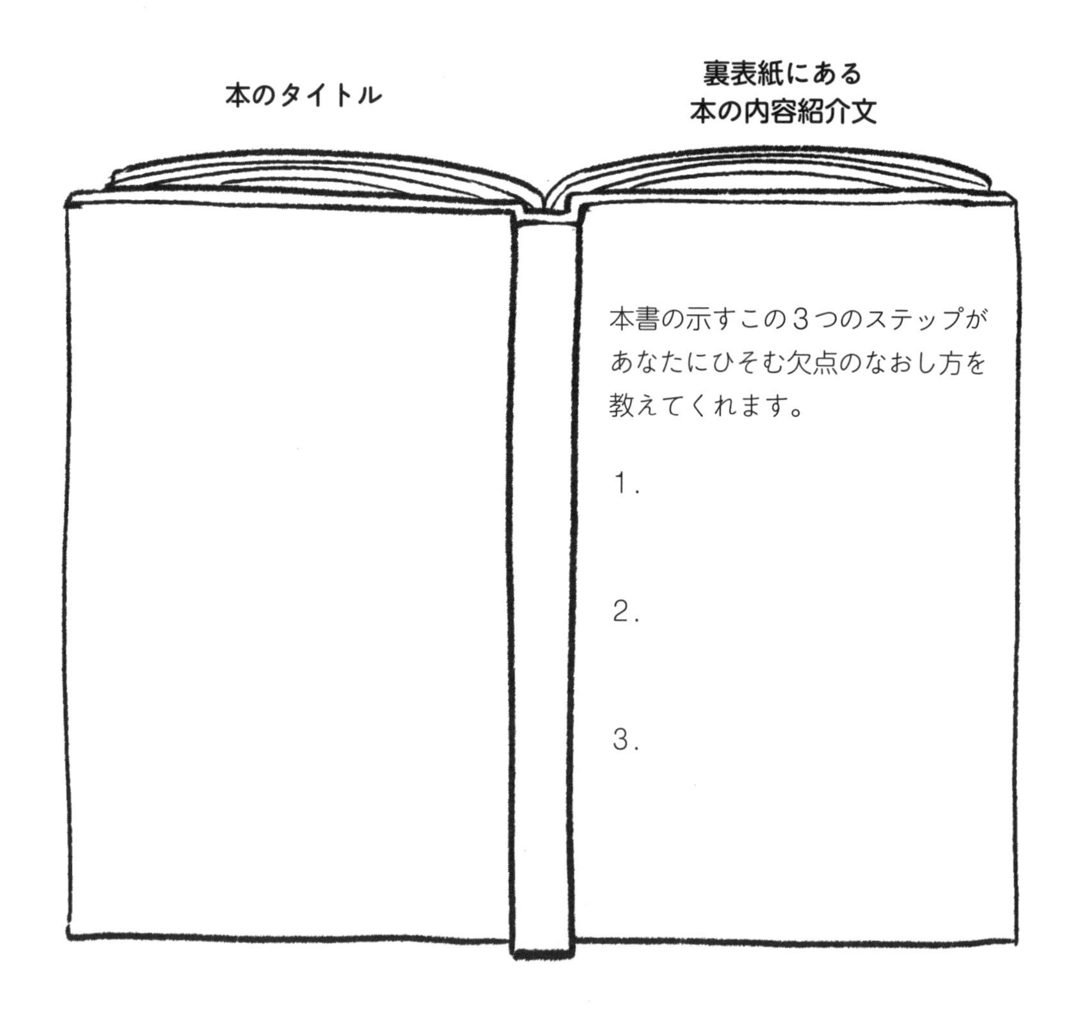

本のタイトル
裏表紙にある
本の内容紹介文
本書の示すこの３つのステップがあなたにひそむ欠点のなおし方を教えてくれます。
1.
2.
3.

必要なもの

必要なものとは、つまりはヒーローの欠点を克服させる教訓のことだ。おそらく他人をもっと思いやったり、身勝手なふるまいを減らしたりする必要がある。前ページの自己啓発本の真意を、自分の言葉でまとめた上で、下の空欄にでかでかと書き込もう。

欲しいもの

欲しいものとは、つまりはその欠点持ちのヒーローが、それさえあれば自分は幸せになれると思っているもののことだ。ただし、本当に必要なものとは**ちがう。**欠点のある思考から生まれた見当違いの目標にすぎない。ヒーローが欲しがっているものを、自分の言葉で下の空欄に書き込んでみよう。

応援できる点のまとめ

ヒーローには欠点があって、事によると、まったく見下げ果てたやつかもしれないけれども、応援したくなるところもいくらかある。そのポイントとして当てはまる点が下にあればチェックして、ヒーローの実状を詳しく記そう。

- [ ] 負け犬だ。当てはまる場合は、どう負け犬なのか。

- [ ] 誰かまたは何かを心配している。当てはまる場合は、どう心配なのか。

- [ ] 人生をマシにするために頑張っている。当てはまる場合は、どう頑張っているのか。

- [ ] 愉快なやつだ。当てはまる場合は、どう愉快なのか。

- [ ] 肉体面または精神面で苦しんでいる。当てはまる場合は、どう苦しいのか。

- [ ] 尊敬できる面がある。当てはまる場合は、どう尊敬できるのか。

- [ ] 自分たちと似ている。あてはまる場合は、どんなふうに？

- [ ] 何かでいちばんだ。あてはまる場合は、いったい何の点で？　どういうふうに？

内面から VS 外の状況から：確認

あなたが外の状況から詰めていく書き手の場合は、**そのまま次のページに進もう。**
あなたが内面から詰めていく書き手の場合は、**いったん85ページに戻って**、そこの２つ目の問いに答えてから、３つ目に進もう。

脇役集まれ！

そろそろほかのキャストの配役を考える頃合いだ。脇役のキャラクターに対して、ヒーローに**必要なもの**とストーリーの**テーマ**を反映させられると、ヒーローはキャラクターとのやりとりひとつひとつから必要な教訓が学べる上に、ストーリーのシーンひとつひとつでテーマを論じられるようになる。
たとえば、主人公にとって〈自分自身を信じること〉が必要な場合、ほかの登場人物は〈自信〉をさまざまな側面から表すものになってくる。

キャラクター1は必要なものを受け入れない――自分は価値のないものと思い込み、失敗や自己の破滅を避けようともしない。
キャラクター2は必要なものを極端に求めすぎる――過信するあまり、うぬぼれ／傲慢で、むしろ謙虚さが必要なほど。悪役は〈必要以上に求めすぎる〉ことがままある。
キャラクター3は必要なものを教えてくれる――ヒーローを変化の道へと導く存在。指導者役・助言者役の登場人物が、ここに割り振られることが多い。
キャラクター4は必要なものを体現している――ヒーローが見習うべき生きた手本。恋の相手や相棒役の登場人物が、必要なものを体現する場合もある。このキャラクターが見本として示してくれるのが、変化後のヒーローの人生がよいものになるという可能性なのだ。
キャラクター5は必要なものを必要としている――主人公と同じく、この登場人物も変わる必要がある。その必要性を見ないようにしていたり、単に自覚がないだけのことも。いずれにしても、自分の人生をドブに捨てている。
キャラクター6は必要なものを支えている――親友は往々にして、友人であるヒーローに変わる必要があることを知っている。支えてくれる人物だが、必ずしも教え諭す人物とは限らない。

それではページをめくって、自分なりのキャストを集めていこう！

キャラクター 1

名前：

年齢：

ヒーローとの関係（1つに○）：
家族・友人・恋人・敵・味方・知らない人・その他 ＿＿＿＿＿

ざっくりした身体的特徴：

夢の配役（時代問わず本編でぜひ演じてほしい役者を）：

必要なものとキャラクターとの関連性について当てはまるものに✓を：

- ☐ 必要なものを受け入れない
- ☐ 必要なものを極端に求めすぎる
- ☐ 必要なものを教えてくれる
- ☐ 必要なものを体現している
- ☐ 必要なものを必要としている
- ☐ 必要なものを支えている

✓をつけた項目にもとづいて、**必要なものとの関連性についてもっと詳しく説明を：**

キャラクター 2

名前：

年齢：

ヒーローとの関係（1つに○）：
家族・友人・恋人・敵・味方・知らない人・その他 ________

ざっくりした身体的特徴：

夢の配役（時代問わず本編でぜひ演じてほしい役者を）：

必要なものとキャラクターとの関連性について当てはまるものに✓を：

- ☐ 必要なものを受け入れない
- ☐ 必要なものを極端に求めすぎる
- ☐ 必要なものを教えてくれる
- ☐ 必要なものを体現している
- ☐ 必要なものを必要としている
- ☐ 必要なものを支えている

✓をつけた項目にもとづいて、**必要なものとの関連性についてもっと詳しく説明を：**

キャラクター 3

名前：

年齢：

ヒーローとの関係（1つに○）：
家族・友人・恋人・敵・味方・知らない人・その他 ＿＿＿＿＿

ざっくりした身体的特徴：

夢の配役（時代問わず本編でぜひ演じてほしい役者を）：

必要なものとキャラクターとの関連性について当てはまるものに✓を：

- ☐ 必要なものを受け入れない
- ☐ 必要なものを極端に求めすぎる
- ☐ 必要なものを教えてくれる
- ☐ 必要なものを体現している
- ☐ 必要なものを必要としている
- ☐ 必要なものを支えている

✓をつけた項目にもとづいて、**必要なものとの関連性についてもっと詳しく説明を：**

キャラクター 4

名前：

年齢：

ヒーローとの関係（1つに○）：
家族・友人・恋人・敵・味方・知らない人・その他 ＿＿＿＿＿＿

ざっくりした身体的特徴：

夢の配役（時代問わず本編でぜひ演じてほしい役者を）：

必要なものとキャラクターとの関連性について当てはまるものに ✓を：

- □ 必要なものを受け入れない
- □ 必要なものを極端に求めすぎる
- □ 必要なものを教えてくれる
- □ 必要なものを体現している
- □ 必要なものを必要としている
- □ 必要なものを支えている

✓をつけた項目にもとづいて、**必要なものとの関連性についてもっと詳しく説明を：**

キャラクター 5

名前：

年齢：

ヒーローとの関係（1つに○）：
家族・友人・恋人・敵・味方・知らない人・その他 ＿＿＿＿＿

ざっくりした身体的特徴：

夢の配役（時代問わず本編でぜひ演じてほしい役者を）：

必要なものとキャラクターとの関連性について当てはまるものに✓を：

- ☐ 必要なものを受け入れない
- ☐ 必要なものを極端に求めすぎる
- ☐ 必要なものを教えてくれる
- ☐ 必要なものを体現している
- ☐ 必要なものを必要としている
- ☐ 必要なものを支えている

✓をつけた項目にもとづいて、**必要なものとの関連性についてもっと詳しく説明を：**

キャラクター 6

名前：

年齢：

ヒーローとの関係（1つに○）：
家族・友人・恋人・敵・味方・知らない人・その他 ＿＿＿＿＿＿

ざっくりした身体的特徴：

夢の配役（時代問わず本編でぜひ演じてほしい役者を）：

必要なものとキャラクターとの関連性について当てはまるものに✓を：

- ☐ 必要なものを受け入れない
- ☐ 必要なものを極端に求めすぎる
- ☐ 必要なものを教えてくれる
- ☐ 必要なものを体現している
- ☐ 必要なものを必要としている
- ☐ 必要なものを支えている

✓をつけた項目にもとづいて、**必要なものとの関連性についてもっと詳しく説明を：**

キャラクター 7

名前：

年齢：

ヒーローとの関係（1つに○）：
家族・友人・恋人・敵・味方・知らない人・その他 ＿＿＿＿＿＿＿＿

ざっくりした身体的特徴：

夢の配役（時代問わず本編でぜひ演じてほしい役者を）：

必要なものとキャラクターとの関連性について当てはまるものに✓を：

- ☐ 必要なものを受け入れない
- ☐ 必要なものを極端に求めすぎる
- ☐ 必要なものを教えてくれる
- ☐ 必要なものを体現している
- ☐ 必要なものを必要としている
- ☐ 必要なものを支えている

✓をつけた項目にもとづいて、**必要なものとの関連性についてもっと詳しく説明を：**

パーティの時間だ！

イェアアアアアアアアアアア！　基本ストーリーのためのアイデア練りも終わって、ストーリーで語る人物像についても深く掘り下げられた！　お祝いだ！　パーティだ！　ケーキを食べるぞ！　猫とハイタッチだ！
さて次は、ストーリーの最後の要素をしっかり決めてから、いよいよ『SAVE THE CATの法則』式ビート・シートを埋めていくステップに取りかかろう。

エレベーター・ピッチ：第2回目の挑戦

ここまででストーリーのDNA、ヒーローや脇役といったキャラクターについて多少は深くわかったと思うので、エレベーター・ピッチに再挑戦してみよう。今回も同じテンプレートを使うこと。

＿＿＿＿＿＿＿＿＿＿＿＿＿＿＿＿のあと、
(突然の出来事／きっかけ)

＿＿＿＿＿＿＿＿＿＿＿＿＿＿＿＿は、
(ヒーローについて名前以外の説明)

＿＿＿＿＿＿＿＿＿＿＿＿＿＿＿＿を乗り越えねばなりませんが、
(障害)

その理由は＿＿＿＿＿＿＿＿＿＿＿＿＿＿＿＿で
(ある目標達成のために努力していることの説明)

さもないと＿＿＿＿＿＿＿＿＿＿＿＿＿＿＿＿からです。
(いずれ起こる恐ろしいこと)

映画ポスター

構想中のストーリーについて、映画ポスターを描いてみよう。

予告編原稿

＿＿＿＿＿＿＿＿＿＿＿＿＿＿＿＿ 世の中で、
（ストーリーの世界観）

ひとりの ＿＿＿＿＿＿＿＿＿＿＿＿＿＿＿＿ は、
（欠点のあるヒーロー）

＿＿＿＿＿＿＿＿＿＿＿＿＿＿＿＿ 生活を過ごしていたが、
（日常生活）

ある日、＿＿＿＿＿＿＿＿＿＿＿＿＿＿＿＿
（きっかけ）

＿＿＿＿＿＿＿＿＿＿＿＿＿＿＿＿、

なんと＿＿＿＿＿＿＿＿＿＿＿＿＿＿＿＿
（追い求める目標）

＿＿＿＿＿＿＿＿＿＿＿＿＿＿＿＿ 羽目になった。

ところが、＿＿＿＿＿＿＿＿＿＿＿＿＿＿＿＿
（ミッドポイント）

＿＿＿＿＿＿＿＿＿＿＿＿＿＿＿＿ があって、

やがて＿＿＿＿＿＿＿＿＿＿＿＿＿＿＿＿
（必要なもの）

＿＿＿＿＿＿＿＿＿＿＿＿＿＿＿＿に気づき、

＿＿＿＿＿＿＿＿＿＿＿＿＿＿＿＿ を乗り越えようとするが、
（悪役または障害）

＿＿＿＿＿＿＿＿＿＿＿＿＿＿＿＿も迫っていた……
（いずれ起こる悪い出来事／危機感）

第7章

『SAVE THE CATの法則』式 ビート・シート

THE SAVE the CAT! BEAT SHEET

『SAVE THE CATの法則』式ビート・シート

『SAVE THE CATの法則』の15のビートは、あらゆる名作の核心部分だ。いきなり始めてしまう前に、まずは『SAVE THE CATの法則』式ビート・シートをおさらいしておこう。

---

1. **オープニング・イメージ**（1％）単一シーンのビート
テーマの提示やつかみとして印象に残るイメージ、あるいはシーンないし短いシークエンスで、ここで映画全体のトーンが決まってくる。ストーリー内でこのあと変化していくヒーロー（または世界）について、事の〈以前〉を画として見せるために使われることが多い。

2. **テーマの提示**（5％）単一シーンのビート
会話の一端から、ストーリーの内容が自然と表現される。テーマ自体は、ほかのキャラクターがヒーローに話すかたちになることもよくあって、ヒーローの根深い欠点や、ヒーローが精神面で変わる必要性が喚起（かんき）される。

3. **セットアップ**（1％〜10％）複数シーンのビート
導入として主人公の〈日常生活〉や現状を見せる。主人公の人生に悪影響が出そうな欠点部分をじっくりとあらわにしていく。家庭・仕事・趣味を出しながら主人公の身近な世界を描写した上で、その人生に登場する主要人物たちを紹介する。

4. **きっかけ**（10％）単一シーンのビート
ヒーローに人生の変わる瞬間が現れて、ストーリーが動き出すきっかけになる。ここでまず背中を押されて、ストーリーというジェットコースターに乗り込むことに。

5. **悩みのとき**（10％〜20％）複数シーンのビート
きっかけに対する反応として、たいていは問いのかたちで示される（「本当にこんな危険な冒険へ旅立たないといけないのか？」）。疑問や否定、逃げや準備が繰り返されることも。これから始まろうという大きな旅は、人生を一変させるほどの重みがあるのだと知らしめ、その新しい世界には軽々しくは入れないのだということを予感させる。

6. **第1ターニング・ポイント／第2幕へ**（20％）単一シーンのビート
ヒーローは行動を起こす決心をして、目標達成のため渦中に飛び込んだ上で、新たな世界に乗り込んだり、新しい考え方を選択したりする。後戻りのきかない決断で、かつての日常世界と新たな世界を隔てるものだ。

7. **サブプロット／Bストーリー**（20％）複数シーンのビート
テーマに関連した副筋の物語が開始される。愛や友情、師弟関係について語られることが多い。

8. **お楽しみ**（20%〜50%）複数シーンのビート
ヒーローが新しい世界に入る。このビートでは、前提（プレミス）［作品の示すお約束］で予告されたことが実現される。〈そうそう、こういう映画を見に来たんだよ〉といういちばん美味しい部分が示されるストーリー内でも大きなセクションだ。ここのシーンやシークエンスが映画の予告編や、TV番組終わりの〈近日公開〉と付された紹介映像で使われたりする。

9. **ミッドポイント**（50%）単一シーンのビート
ストーリー中盤で、〈お楽しみ〉の盛り上がるところ。このビートはたいてい偽りの勝利か偽りの敗北となる。ミッドポイントではヒーローの危機感が高まって、その勝利や生存に意識が集中するようになる。ここでチクタク時計［時間制限の概念］が持ち込まれて、緊張感と緊迫感を高めることも多い。

10. **迫りくる悪いやつら**（50%〜75%）複数シーンのビート
危機感がどんどん強まって、緊張感も増してくる。言葉の通り、実際の悪者たちが近くに迫ってくることもあれば、いわゆる心の内面にいる悪者がさらなる問題を引き起こすこともある。

11. **すべてを失って**（75%）単一シーンのビート
ヒーローの最も恐れていた瞬間が実際に起こる。まさかヒーローが負けてしまうのか、とそこで思わされる。ここには死の香りが漂っていることが多く、誰かが命を落としたり、真に迫った死の気配が感じられたりする。ここはヒーローにとってどん底の瞬間だ。

12. **心の暗闇**（75%〜80%）複数シーンのビート
〈すべてを失って〉を受けて、ヒーローは悲哀の淵に沈み、失ったものを嘆くとともに、今やストーリー開始以前よりも事態が悪化していると後悔している。ここはすべてを再検討する機会で、そのおかげで有意義な学びが、変化していく過程で得られることになる。

13. **第２ターニング・ポイント／第３幕へ**（80%）単一シーンのビート
新たな情報が発見されて、第２幕で生じた全問題の解決のためになすべきことを、ヒーローが悟る。

14. **フィナーレ**（80%〜99%）複数シーンのビート
まさに大詰めで、第２幕で苦闘の末に得た教訓を本当に自分のものにしたのだとヒーローが見せつけるところだ。探求の旅は勝利に終わり、ドラゴンを倒して霧が晴れたときには、ヒーローは変化している。その欠点は克服されて、さらに世界は以前よりもよい場所となる。

15. **ファイナル・イメージ**（100%）単一シーンのビート
ヒーローと世界の〈事が終わったあとの写真〉。オープニング・イメージの鏡写し。世界とヒーローがどこまで変化したのかを見せる。

ビートのアイデア練り

さあ腕まくりをして、ストーリー作りを完全にやりきってしまう時間だ。
とはいえ、『SAVE THE CATの法則』式ビート・シート全体をどのように埋めていけばいいのか？
さて、いい知らせがある。あなたはもうここまでのページでほとんどの課題に取り組み済みだ。あと残っているのは楽しい部分だけ。その苦労の結晶をまるごと、どきどきわくわくのストーリーに変えていくだけだ。
難しめのビートをうまくやりとげるには、ヒーローに何かさせてみるのがいちばんだ。ちょっとヒーローの脳内に入ってみて、〈そのとき言いそうなこと〉を言わせてみるのが、ストーリーのビートを埋めていく近道になることもかなりある。
さあ、自作の主人公と一心同体になって、このストーリーをやりきってしまおう！
（忘れてはいけないのは……このストーリーは最終形ではなく、あくまでアイデア練りだということ！　何を書いても間違いではない。楽しみながらじっくりゆっくりと取り組むこと。自己批判もいったん横に置いてしまおう）

オープニング・イメージ

主人公たるヒーローには欠点がある。このストーリーは、これから必要なものを全部その人物に教えるわけだが、その内容も以前に取り組んだ自己啓発本（116ページ）のところに書かれてあるはずだ。その人物は、人生における大事な教訓を**苦労しながら**学んでいく。それはそれとして、〈**事の始まる前**〉のヒーローの画はどんなものだろうか？　ストーリーのそもそもの始まりでは、ヒーローのダメな生活風景を描写してみよう。

ファイナル・イメージ

一転して、ストーリーの終わりにおけるヒーローを描写してみよう。その人物はどう変化したのか？　今やその人生と先の見通しはどうなっているか？　〈**事の終わったあと**〉の画はどんなものか？　たいていは、さきほど描いたばかりの画にも似ているのだけれども……ちょっとどこかが変わっていて……ある意味では鏡写しの関係にある。

テーマの提示

ヒーローの親友が訴えるには、ヒーローは欠点のせいで人生がめちゃくちゃになっているらしく――ひとつのことを変えるだけで全部だいぶマシになるはずなのに、とヒーローが言われるシーンを想像してみよう。

とうとう友人がヒーローにそのことを伝えることにした理由とは何か？

その伝えた内容とは何か？　その言葉を下の吹き出しにさっと書き入れよう。

セットアップ

その欠点がヒーローの人生をめちゃくちゃにしているわけだが、その有様を家庭・仕事・趣味に分けて詳しく記そう。

家庭

仕事

趣味

ヒーローの現状が死にも等しいその理由とは？

さらにセットアップ

時として、主人公の日常生活を紹介する最適なやり方は、その好きなものや得意なことを見せることだったりするのだが……いったいどんなものか？

ちょうどそれをやっていたところ、何かがうまくいかなくなる、そんなシーンを想像してみよう。どんなことで台無しになったか？（ヒント：おそらくその何かは、あらゆることを台無しにしてしまう厄介な**欠点**と関係がある）

セットアップ：ストーリー以前のストーリー

時として、ヒーローの人生が新たな局面を迎えたその渦中へ飛び込む*のも、物語の愉快な始め方だ——たとえば、新しい職場、新しい家、大きな人生の転機などなど。

ヒーローが初登場するシーンでまさに起きている、人生での大きな出来事とは何か？

＊古代ローマの創作指南書『詩論』（ホラーティウス著）でも紹介されている〈in medias res〉という技法。「いきなり事件のまっただ中へ」という意味で、前置きや前振りもなく、物語の面白そうな瞬間（ないし本編・本筋）から語り始めるやり方。（その場合、元々の前置きをあとで回想シーンとして入れることもある）

セットアップ：猫を救え！

欠点があるにもかかわらず――ヒーローが同情できる負け犬／すごくかっこいいやつ／過小評価されすぎな人物であるとして、はっきりキャラ立ちするシーン・瞬間とはどんなところか？　これがあるおかげで、受け手もそのヒーローを応援したくなる。（参考として〈応援できる点のまとめ〉［119ページ］も再確認のこと）

ヒーローが人のためになる行為をしたり、誰かを助けたりする具体的なシーンや瞬間があるか？　たとえば猫か何かを救ってみるとか？

きっかけ

その**突然の出来事**を思い描けるだろうか？　この下に書き出そう。そのいきなりの出来事がヒーローの身に起こって、その日常生活に対する最初の〈騒動〉となり、そのせいでストーリーが動き出す（そのあげく大きな対立／葛藤／障害をもたらす）ということを、しっかり確認しよう。

悩みのとき

人生を一変させる突然のきっかけのせいで、ヒーローの人生は揺さぶられ、その現状もぐらついてしまう。欠点持ちの主人公の反応はどういうものか？

1．この新たな問題からどのように逃れようとするか？　丘の上にでも逃げるか？　もっともらしい理屈を考えるか？　まったく見ないふりをするか？　トラブル回避のために取りそうな行動を全部書き出そう。

2．その問題をほかの誰かのせいにしようとするか？　助けを求めに行けそうな相手がいるか？　当局？　専門家？　友人？　同僚？　対処を誰か任せにしようとするその行動を詳しく記そう。

悩みのとき（続き）

3．この問題との向き合い方について、ヒーローはもっと情報が必要となる。深刻な問題であることをおそらくわかっていない。本当の出来事であるとも思っていない可能性がある。その調べ方はどうなるだろうか？　話し合う相手は誰か？　どうすればさらに深い調査ができるか？

4．ヒーローが、これから来る嵐や試練に備えることもあるだろう。その場合はどんな段取りをするだろうか？

第1ターニング・ポイント／第2幕へ

何か新しい情報や出来事がどーんとやってきて、そのせいでとうとうヒーローも旅に出ることになり、疑問も引っ込めて、ストーリーのDNAで触れられた目標に向かって進み始める。その行動の最後のひと押しになった情報や出来事について詳しく記そう。

サブプロット／Bストーリー：学びの機会

必要なものとは、ヒーローの人生を正しい方へと修正し、その**改善の必要なところ**を直してくれるもののことだ。**必要なもの**は、ストーリーの過程でだんだんとわかってくる上に、Bストーリーの焦点にもなる。
Bストーリーにおける〈学びの機会〉について、いろいろとアイデア練りしてみよう。

1. 誰かがその**欠点**を改善する手助けをしてくれる。ちょうどよさそうなのは、〈必要なものを体現〉する脇役のキャラクターだろう。または、実際に指導者／助言者みたいな立場にいる人物でもよさそうだ。すでにヒーローとは知りあいのこともあれば、〈きっかけ〉で起こった突然の騒動のおかげで出会えた人のこともある。この人物を描写した上で、（ストーリー進行のなかで）この人物にどういう手助けをされて、ヒーローは以前作成のあの自己啓発本（116ページ）を体現する人間となっていくのか、しっかりと説明しよう。

2. ストーリー内に、今までのやり方は間違っていたとヒーローに考え直させるような機会はあるか？　今までとはまったく違う、尊敬できる生き方の手本を目にしてもいいだろう。または、自分の欠点のせいで大切な人や物が傷ついてしまうのもありだ。

3．ストーリー内で、ヒーローに自分の**ガラスの破片**を思い出させる瞬間があるとすれば、いったいどんな場面か？　おそらくは何かがちょっと強く身にしみたのだろう。そのことを書き記してみよう。

4．主人公の人生のなかで、苦しいあまりとうとう自分が砕けて**ガラスの破片**になってしまったような出来事が、何かひとつあるだろうか？

サブプロット／Bストーリー：新たな親友との出会い

ここまででBストーリーの重要人物も設定し終えたので……次は、ヒーローとその人物の出会い方はどうだろう？　すでに知りあいの場合でも、この人物がたいへん重要な役割を果たすという予感が必要だが、それをストーリー内で最初に感じさせるものは何だろうか？　今描いたその瞬間こそが、よくある**Bストーリー**のビートとなる。ここに詳しく記してみよう。

お楽しみ：作戦だ！

よし！　ここで閑話休題、本編に戻る。主人公たるヒーローには目標がある。ところで、そのための作戦はどういうものか？　弱点持ちのヒーローの考え方や特有の能力なども踏まえて、障害克服や目標達成へ向けてどんなことをやろうとするか、いくつか例を挙げてほしい。ヒーローが勝利のためにやる最初の一手とはいったい何か？

お楽しみ：問題だらけ！

この最初の作戦を阻むものとは何か？　その途中で悪役が何かサプライズ［不意打ち］をするのか？　ヒーローに何かがちょっと足りないことが明らかになるのか？　目の前で何かが起きたり現れたりして、何もかもの調子がくるってしまうのか？

勝利を目指すなかでヒーローがぶつかることになる、つまずきの石や大きな不意打ちなどをいくつか挙げていこう。本当の本当に越えがたい障害にすることを忘れずに。

お楽しみ：予告編に使われるシーン

問い：理想の観客はどんな人たちか？

その人物像を想定して空白を埋めつくそう――壁に貼ってある映画ポスターはどんなやつか？　本棚に並んでいる本は？　好きなTV番組は？　手持ちの音楽CDやストリーミングのお気に入りのなかで、いちばん上にあるものは何か？　読んでいる雑誌は何か？　飾られているおもちゃは？……

予告編に使われるシーン

構想中のストーリー内で、その理想の観客が「**いいいいいいいいいいいいね！**」と推してくれそうな瞬間があるなら、それはどんなシーンか？　このページをそんなシーンばかりで埋め尽くそう。そのシーンはストーリー内のどこに出てきてもいいが……たいていはこの〈お楽しみ〉のセクションに入ってくるだろう。

お楽しみ：Bストーリーの確認

予告編に使われるシーンがめいっぱい続くなか、Bストーリーの展開はどうなっているか？　その浮き沈みの変化はどうなっているか？　〈お楽しみ〉内で、Bストーリーで登場した支援者はストーリーとどう関わってくるのか？

以前からあるヒーローの悪癖のせいで、そのBストーリーの登場人物とどういう摩擦が起きてしまうのか、さらに〈お楽しみ〉のあいだに教訓が得られそうなシーンがあっても、どういう反発が起こってしまいそうか？

ミッドポイント

主人公たるヒーローは前向きに目標達成を目指している。〈お楽しみ〉のところで行った〈目標追求〉における〈最初の大きな絶好調〉または〈最初の大きな絶不調〉は、どんなものか？　**とどめの勝利**や**どん詰まりの失敗**ではなく……ヒーローにちょっと自信をつける瞬間、またはいろいろと疑念を抱かせてしまう瞬間のことだ。２列目（〈プロットのひねり〉）についてはとりあえず無視してほしい。あとで触れるので！

最初の絶好調	プロットのひねり
最初の絶不調	

ここが現在地！

ミッドポイント：プロットのひねり！

ミッドポイントでの絶好調や絶不調は、見せかけのものだった！　調子に乗ったせいでむしろ事態が悪化したり、絶不調が思っていたよりも悪くなかったりする。さきほどのリストの〈最初の絶好調〉のところに戻って、2列目の〈プロットのひねり〉の欄に、その絶好調が好調でない可能性のわけや、大局的に見ればその不調もそこまでのマイナスでない可能性の根拠を書き入れよう。
ここに、**ミッドポイントにおける見せかけの絶好調**において、プロットのひねりとして検討可能なものを挙げる。

- **獣をつついてしまって**：ヒーローが悪役のレーダー圏内に入ってしまったり、悪役に敵対行動を起こさせてしまったり。悪役がヒーローにねらいを定めた！まずいぞ！
- **正体を現した殺人鬼**：ストーリー上の悪役や真の対立構造がはっきりあらわになって、その罪の深さや力の強さのために、対決の分がさらに悪くなったことをヒーローが悟る。
- **物事が個人の問題に**：ヒーローがBストーリーの登場人物と親密になりすぎる。キス、情熱の夜、魂の認め合い、心からの抱擁。ここで物事はプライベートなものとなる。ここに来て、失うものができてしまう……自分に関わるものとして。
- **皮のむかれたタマネギ**：新情報が明らかになって、目標達成がさらに難しくなりそうだ。ウワッ！
- **チクタクチクタク**：時間がどんどんなくなって、今や刻一刻と迫っている！動かざるをえなくなる。急いで。
- **上記全部！**：絶好調でも、この全部に当てはまることがありえる。いくつか併発することも。自分独特の危機感の高まりを考え出してもいい。

こちらには、**ミッドポイントにおける見せかけの絶不調**において、プロットのひねりとして検討可能なものを挙げる。

- **新たなる希望**：ヒーローの失敗が、キャリアや社会上の地位、特定の関係性などなど、とにかく新たなチャンスにつながる。
- **自分を見てくれる人**：重要人物がヒーローの人間らしい側面を見ていたり、その潜在能力を見いだしたりする……新たな関係が花開いたり、関係性が次の段階に進んだりする。
- **大発見の瞬間**：新たな手がかりや情報があらわになって、勝利への新しい道筋が現れる……けれども、同時に危険なものでもある。
- **逆転の切り札**：すべてを一変させるような、息をのむ意外な展開があらわになる。ヒーローの足元が揺らぐので、まずは立ち続けるためにも戦わざるをえなくなる。

これを参考にしてもいいし、自分なりのアイデアを練ってもいい。158ページに戻って、リスト２列目の〈プロットのひねり〉のところにこうしたポイントを書き入れていこう。

作業が終わったら、お気に入りの絶好調／ひねりの組み合わせに〇を付けよう――**それがあなたのミッドポイントだ！**

ミッドポイントの確認リスト

ストーリーのミッドポイントにおけるひねりは、主人公たるヒーローを追い詰めるものでないといけない。このミッドポイントがヒーローにとってどれくらい**大きなストレス**になるのか、記してみよう。

ミッドポイントの働きは複数あることも多い。以下の危機感を高める選択肢から、ひとつ／複数チェックを入れて、選んだものについて軽く説明してほしい。

☐ Bストーリー（サブプロット）がAストーリー（メインプロット）と交差する。どんなふうに？

☐ 事態がヒーローにとってさらに個人的なものとなる。どんなふうに？

☐ ヒーローが自分をしっかり見つめ直すきっかけになる。どんなふうに？

☐ チクタク時計［時間制限］が始まる——時間切れが迫っていること、または新しく自分に目標達成までのタイムリミットが課せられたことについて、何かわけがあってヒーローが気づいたり思い出したりする。どんなふうに？

迫りくる悪いやつら：作戦に揺さぶりをかけてくる

ミッドポイントのせいで、欠点だらけのこれまでのやり方について、ヒーローは深い疑念を抱いている。とはいえ、目標が第一に重要なのはそのままだ。こうして新しい疑念に直面したときに……勝利を目指すヒーローが取れる新しいやり方として、どんなものがあるだろうか？

内面に巣くう悪いやつら（精神面の敵）が迫ってくると——事態はもっとプライベートなものとなる。〈自分には欠点があるのかも〉とヒーローが悩み出す。ヒーローの内面の葛藤がどんどん事態をややこしくしているさまと、そのために友人や味方との緊張関係が広がっているさまを、ここに詳しく記してみよう。

すべてを失って

目標達成に向かうヒーローにもさまざまなことが起こるもので、そのなかでも考えうるかぎり最悪の事態とはいったいどんなものか？　心が折れるほどの喪失感に襲われるとすれば、それはどういうものか？　死の香りが漂っている——誰かが死ぬとしたら、この地点だ。夢の死、あるいは希望の死のこともありえる。どういう意味での死か？　まだ決まっていない場合は、まず起こる可能性のある恐ろしいことを10個分挙げてみて……そのあとお気に入りに○をつけるといい。

心の暗闇

外は雨だ。ヒーローがくじけそうになっている。〈すべてを失って〉のビートのせいで、何もかも疑心暗鬼。この〈自分こそが悲劇の主人公〉ともいうべき時間におけるヒーローの感情や行動を描写しよう。喪に服していることもあれば、体をボールのように丸めていることもあるだろう。

心の闇を旅して

この部分は、ヒーローが〈テーマの提示〉のビート（141ページ）を振り返り、とうとう自分の欠点を認識する機会でもある。その思い悩みの中身について、ちょっとした日記形式にしてみよう……

すべてを失った。今の気持ちはまるで……

第2ターニング・ポイント／第3幕へ

何かが起こったおかげで、ヒーローも最後には勝てるという希望が抱ける。決定打になるような情報が新たにわかったのかもしれない。友人からもらった言葉で、立ち直って背中を押されたのかもしれない。主人公たるヒーローが新たな行動を起こすきっかけとは何か？　どこから希望が生まれたのか？

フィナーレ

第２ターニング・ポイントのビートに後押しされて、ヒーローは勝利のための行動を起こす。ヒーローの新たな作戦とは何か？　次ページから、いわゆる〈５段階のフィナーレ〉として、この部分を５つのステップに分けて考えていこう。

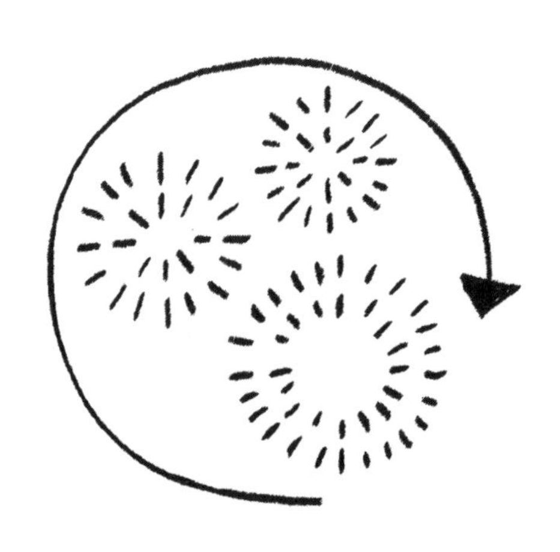

フィナーレ1：チーム集結

ヒーローが最後に逆転勝利するために考えた大作戦とは何か？

その作戦のためにヒーローは誰の助けが必要か？

どのような装備やブツが必要になってくるか？

作戦開始前にヒーローは何か追加の情報や機密を集める必要があるか？

実行前に必要な準備はほかにあるか？

気持ちを奮い立たせる演説

ヒーローがチームに対して贈ったり、鏡に映る自分自身に言い聞かせたりする、背中を強く押すような言葉を書こう。

フィナーレ2：作戦実行

ヒーロー発案の作戦が実行されるときの見どころを数点挙げてみよう。ヒーロー自身がこれから歩む人生の予告編にも似た瞬間かもしれない。

フィナーレ 3：高くそびえる塔にびっくり

しまった。**ものすごく**まずいことになった！　悪役がサプライズを仕掛けていたのだろうか。罠があったのか。それとも、ヒーローの想定外のことがあったのか。何もかもをぶち壊してヒーローの大作戦がダメになってしまう出来事とは何か？

フィナーレ4：深みに入って掘り当てて

このどたん場の逆風にヒーローはどういう気持ちになるか？　そのガラスの破片（114、151ページ）を思い返そう。その厄介なものを引っこ抜く覚悟が決まった。どうしてこの瞬間なのか？　変化するのはいったい何か？

フィナーレ5：新たな作戦の実行

ヒーローは、ストーリー冒頭でなら絶対に思いつかなかったような新たな作戦を思いつく。物事の見え方が新しくなった今しかできないこと……それはいったい何か？

『SAVE THE CATの法則』式ビート・シート／15のビート

ここまで全部よく頑張った。ここからはいよいよ**『SAVE THE CATの法則』**公式ビート・シートを埋めていく時間だ。
まさに楽しみどころ！　これまでのセクションで問いに答えてきたので、必要なものもみんな揃っている。次ページより各ビートを書き込みつつ、時にはページを戻りながら、このワークブックに記してきた内容をうまくまとめたりいじったりして、自分の作品で展開されるひとつひとつのシーンや瞬間に落とし込んでいくのだ。
各ビートは好きなだけ書いてかまわない。単一シーンのビートはふつう数文か1段落になるけれども、複数シーンのビートならストーリーを長めに扱えるので、何段落かは書ける。

それでは時間だ。**さあ、やっちまえ！**

ビート1：オープニング・イメージ（1％）

単一シーン

ビート2：テーマの提示（5%）

単一シーン

ビート3：セットアップ（1％～10％）

複数シーン

ビート4：きっかけ（10%）

単一シーン

ビート5：悩みのとき（10％～20％）

複数シーン

ビート6：第1ターニング・ポイント／第2幕へ（20%）

単一シーン

ビート7：サブプロット／Bストーリー（20%）

複数シーン

ビート8：お楽しみ（20％～50％）

複数シーン

ビート9：ミッドポイント（50%）

単一シーン

ビート10：迫りくる悪いやつら（50%～75%）

複数シーン

ビート11：すべてを失って（75%）

単一シーン

ビート12：心の暗闇（75％〜80％）

複数シーン

ビート13：第2ターニング・ポイント／第3幕へ（80％）

単一シーン

ビート14：フィナーレ（80%～99%）

複数シーン

チーム集結

作戦実行

高くそびえる塔にびっくり

深みに入って掘り当てて

新たな作戦の実行

ビート15：ファイナル・イメージ（100％）

単一シーン

しめくくりの言葉

イエェェェイ！　あなたは最難関を乗り越えた。テーマとキャラクターもしっかりしていて、プロットにひねりもある、そんなストーリーの見取り図ができた。ところが、まだやることはある。

『SAVE THE CATの法則』でも紹介されているように、情報（インデックス）カードを使いながら各シーンを１枚ずつ割り当てて、作品全体の構成が一覧できるボード［今シリーズでは大きな紙・板などを線で4等分した貼り付け用の下地のこと］そのものを実作していくのだ。（この点でサポートが必要なら、［原著公式の］savethecat.comにアクセスすると、やり方の解説や印刷済みのカード［有料］も見つけられるし――“Save the Cat! Story Structure Software”［有料］のデジタルボードも要チェックだ）

あるいは……

最初の草稿にいきなり取りかかってもいい。

いずれにしても、本書はその際のロードマップとしてきっと役に立つし――どこかで行き詰まっても、本書のページをめくればすぐ答えが見つかる。

さあ出発の時間だ！　地図をたどれ！　いろいろ猫も救おう！

ではまた次のストーリーで！

[著者]
ジェイミー・ナッシュ（Jamie Nash）
作家・脚本家。ジョンズ・ホプキンス大学とMICAで脚本執筆について教鞭を執り、ポッドキャスト「Writers/Blockbusters」の共同司会も務めている。著書に『Save the Cat!® Writes for TV』のほか、児童向け小説『Bunk！』『The 44 Rules of Amateur Sleuthing』、SF小説『Nomad』も執筆。また、ホラー映画『イグジスツ　遭遇』『V/H/S ネクストレベル』『ナイトウォッチメン』『地球外生命体捕獲』『ラブリー・モリー』、ファミリー映画『Santa Hunters』『Tiny Christmas』のほか、ほぼ全ジャンルにわたってストーリーを売って世に出した経験がある。妻と息子、おしゃべりな犬とともにメリーランド州在住。

[訳者]
大久保ゆう（おおくぼ・ゆう）
フリーランス翻訳家。幻想・怪奇・探偵ジャンルのオーディオブックや書籍のほか、絵画技法書や映画・アートなど文化史関連書の翻訳も手がけ、芸術総合誌『ユリイカ』（青土社）にも幻想文芸関連の寄稿がある。代表的な訳業として、アーシュラ・K・ル＝グウィン『文体の舵をとれ――ル＝グウィンの小説教室』（フィルムアート社）、『現想と幻実――ル＝グウィン短篇選集』（共訳・青土社）。

「SAVE THE CATの法則」で書ける
物語創作ワークブック

2023年5月20日　初版発行

著　ジェイミー・ナッシュ
原案　ブレイク・スナイダー
訳　大久保ゆう
装幀　三浦佑介（shubidua）

発行者　上原哲郎
発行所　株式会社フィルムアート社
〒150-0022
東京都渋谷区恵比寿南1-20-6 第21荒井ビル
tel 03-5725-2001 fax 03-5725-2626
http://www.filmart.co.jp/

印刷・製本　シナノ印刷株式会社

© 2023 Yu Okubo
Printed in Japan
ISBN978-4-8459-2301-4　C0074

落丁・乱丁の本がございましたら、お手数ですが小社宛にお送りください。
送料は小社負担でお取り替えいたします。

「SAVE THE CAT」シリーズ　好評発売中！

SAVE THE CATの法則　本当に売れる脚本術

ブレイク・スナイダー＝著　菊池淳子＝訳

映画業界を知り尽くした著者が、ジャンル、プロット、構成、販売戦略、キャスティングなど脚本に不可欠な要素を簡潔かつ丁寧に解説。〈ログ・ライン〉や〈ストーリー・タイプ〉、〈ビート・シート〉など、これまで誰も教えてくれなかったさまざまな観点から、観客を物語に引き込むための「黄金のルール」を語る。

A5判｜並製｜264頁｜2,200円＋税

10のストーリー・タイプから学ぶ脚本術 SAVE THE CATの法則を使いたおす！

ブレイク・スナイダー＝著　廣木明子＝訳

『SAVE THE CATの法則』第2弾！　映画作品50作を〈10のストーリー・タイプ〉に分類し、〈ビート・シート〉と照らし合わせながら徹底分析。名作たちの構造の秘密を解き明かしながら物語執筆の極意を伝授する。

A5判｜並製｜364頁｜2,200円＋税

SAVE THE CATの逆襲　書くことをあきらめないための脚本術

ブレイク・スナイダー＝著　廣木明子＝訳

『SAVE THE CATの法則』第3弾！　執筆中に直面するトラブルにはどういったか解決策があるのか？　スランプから脱出する方法は？　作家としての精神を守り、鍛え、育てるにはどうしたらよいのか？　具体的かつ実践的な内容から悩める創作者を救う一冊。

A5判｜並製｜280頁｜2,000円＋税

SAVE THE CATの法則で売れる小説を書く

ジェシカ・ブロディ＝著　島内哲朗＝訳

『SAVE THE CATの法則』シリーズ待望の小説バージョン！　名作小説を例に、魅力的な小説／物語を書き上げる方法を実践的に指南。物語の構造やテンポ、魅力的なキャラクター造形のコツを知ることでオリジナリティ溢れる小説を書くことができる。

A5判｜並製｜480頁｜2,500円＋税